BIBL
Wihelm
1111 C
Tel. 020
D0586275
AFGESCHREVEN

Niemand weet dat ik een mens ben

Erwin Mortier & Lieve Blancquaert

Niemand weet dat ik een mens ben

Minderjarige vluchtelingen en hun verhaal

2010
DE BEZIGE BIJ
AMSTERDAM

Boekverzorging en omslagontwerp Kris Demey

Omslagbeeld en foto's Lieve Blancquaert

Druk Guido Maes, Gent

Bindwerk Delabiebooks, Marke

ISBN 978 90 234 5961 3

NUR 740

www.debezigebij.nl

Inhoud

Voorwoord

Ieder jaar arriveren in België tussen de duizend en vijftienhonderd minderjarige, niet-begeleide vluchtelingen. Hun gemiddelde leeftijd is vijftien jaar. Ze komen uit alle delen van de wereld en dragen stuk voor stuk vreselijke verhalen en geschiedenissen met zich mee. De meesten van deze kinderen vinden in ons land onderdak bij familie, bij vrienden of bij mensen die zich over hen willen ontfermen. Om en nabij de vijfhonderd anderen komen in een opvangcentrum terecht. Veertig tot vijftig procent van deze kinderen verdwijnt weer. Nogal wat vluchtelingen, minderjarigen en anderen, zien België vooral als een tussenstop, een land van waaruit ze de oversteek naar Groot-Brittannië willen wagen. Vrijwel zeker zijn hierbij netwerken van mensensmokkel in het spel.

Sommige kinderen komen hier met het vliegtuig aan, in relatief menswaardige omstandigheden, maar anderen worden tussen de lading van vrachtwagens of

pakketboten verstopt en zonder enige uitleg op een dag op het trottoir of de havenkade achtergelaten. Boven op hun vaak vreselijke geschiedenis komen dan de ontworteling door hun reis, én de confrontatie met een totaal onbekend deel van de wereld, met een andere samenleving en een andere cultuur.
De neiging alleen jezelf te vertrouwen en je zonder hulp van anderen te redden is bij deze mensen heel erg sterk. De meeste niet-begeleide jongeren houden dan ook niet van grootschalige asielcentra. Voor iemand die op de drempel van de puberteit en de adolescentie staat, is het leven in zulke instellingen ook geen makkelijke zaak. Vaak ontberen deze jonge mensen de kleine, behaaglijke leefwereld en de privacy die bij het opgroeien en het verkennen van de eigen persoonlijkheid in deze fase van hun leven zo belangrijk kunnen zijn.
Uiteindelijk kan slechts een minderheid van de minderjarige vluchtelingen terecht bij een pleeggezin. Er is een schrijnend tekort aan pleeggezinnen in ons land, net zoals er groot gebrek aan voogden bestaat. Sinds 2004 moeten alle niet-begeleide minderjarigen in ons land een voogd hebben, iemand die hun belangen behartigt.

Ongeveer anderhalf jaar geleden klopten de mensen van Opvang, een dienst voor pleegzorg die zich richt op het welzijn van kinderen en jongeren in probleemsituaties, onder wie vluchtelingenkinderen, bij ons aan. Ze hadden graag een boek gepubliceerd dat deze jongeren voor de rest van de samenleving zichtbaar en hoorbaar zou maken, een boek dat ook de nood aan pleeggezinnen en voogden zou laten blijken, en dat eventuele kandidaten een indruk kan geven van de veelheid aan achtergronden en contexten waaruit jonge vluchtelingen afkomstig zijn. Lieve en ik werden meteen gegrepen door de toewijding, kunde en zorg waarmee de mensen van Opvang, maar ook die van Minor-Ndako, het opvang- en begeleidingstehuis voor niet-begeleide minderjarige vluchtelingen, deze jongeren omringen.

Tegelijk wilden we vermijden dat dit boek deze jonge mensen zou herleiden tot 'gevallen'. Evenmin mochten hun verhalen, over hun afkomst, hun reis en hun niet altijd even makkelijke aanpassing aan het leven in ons land, tot een 'problematiek' worden herleid. Waar ze ook vandaan komen, en waar ze ook heen willen of heen gestuurd worden, geen van deze kinderen is voor zijn of haar plezier uit soms verafgelegen delen van onze planeet naar Europa, naar België gekomen. Velen hebben door oorlog, politiek geweld of ander onheil hun ouders verloren. Ook de wijze waarop ze in ons land terechtgekomen zijn heeft hen vaak zwaar aangegrepen.

Lieve en ik besloten dan ook met een aantal van deze jongeren te gaan praten en zoveel mogelijk aspecten van hun bestaan te laten doorklinken, in en tussen de regels, expliciet en impliciet. Daarbij vonden we dat we ook niet mochten vergeten dat veel van die jongeren die op hun veertiende of vijftiende, en soms nog eerder, hun land verlieten, niets eens wisten waar ze terecht zouden komen. Lang niet al die jonge mensen genoten in hun vaderland degelijk onderwijs of beschikten over de moderne communicatietechnologieën waarmee onze kinderen hier in het Westen hun voordeel doen. Bij hun aankomst was hun kijk op de wereld, ook op hun land van herkomst, veeleer beperkt, wat het gevoelen van vervreemding en ontworteling in niet geringe mate versterkte, net als de enorme opgave in hun nieuwe omgeving een eigen plek te vinden. Ook in de veelheid van verblijfsprocedures, de verschillende benamingen voor die procedures en hun grote complexiteit raken ze vaak de weg kwijt. Die algehele 'verlorenheid' hebben we voelbaar willen maken.

Doordat de meeste jongeren die wij ontmoet hebben nog minderjarig zijn konden ze niet met naam en toenaam vermeld worden, en Lieve kon hen niet herkenbaar fotograferen. We gaven de kinderen wel de kans een schuilnaam te kiezen, wat de meesten ook hebben gedaan, en doorgaans hadden ze ook wel een idee over hoe ze gefotografeerd wilden worden zonder herkenbaar te zijn.

Daarnaast nam Lieve ook een aantal foto's in het opvang- en observatiecentrum in Steenokkerzeel, een instelling van de Belgische overheid en een van de plaatsen waar de meeste niet-begeleide minderjarigen in eerste instantie terechtkomen.

De toekomstperspectieven van deze jongeren lopen sterk uiteen. Allemaal kunnen ze in België wonen tot ze achttien zijn. Sommigen zullen ook na hun achttiende kunnen blijven, bijvoorbeeld doordat de toestand in hun land niet toelaat dat ze terugkeren – hoe graag ze dat vaak ook zouden willen. Anderen zijn door wat ze hebben meegemaakt dusdanig gehavend dat het alleen al om elementair humanitaire redenen wenselijk is dat ze hier blijven en liefst aangepaste begeleiding krijgen. Alle kinderen hopen wel een menswaardig leven te kunnen opbouwen, hetzij in België of Europa, hetzij in of nabij hun land van herkomst, hetzij elders. Het minste wat rijke landen als het onze kunnen doen is deze kinderen, zolang ze hier onder onze hoede verblijven, alle kansen bieden op veiligheid, bescherming en ontwikkeling. Ze zijn uiteindelijk de toekomst van deze wereld.

Behalve de mensen van Opvang en Minor-Ndako willen we natuurlijk alle jongeren bedanken die ons te woord stonden. Onze dank gaat ook uit naar Alcidia De Sousa, die bij één ontmoeting niet alleen als tolk optrad maar die aan het slot van dit boek integer en aangrijpend over haar leven als voogd van een aantal kinderen vertelt.

Lieve Blancquaert & Erwin Mortier

De zusjes Gyselinde, Rana en Marina komen uit **Angola**. Het land was tot 1975 een Portugese kolonie. Zoals wel meer landen in Centraal-Afrika werd ook Angola tijdens de Koude Oorlog het toneel van een bloederige burgeroorlog tussen verschillende inlandse verzetsbewegingen die elk de steun kregen van landen als Zuid-Afrika, Cuba en de Sovjet-Unie, die hun invloedssfeer op het continent wilden behouden of versterken. Om die redenen trok Zuid-Afrika in 1978 het land in, een bezetting die pas tien jaar later, na bemiddeling door de Verenigde Staten, werd opgeheven, wat zeker geen einde betekende van de burgeroorlog. Pas in 2002 kwam het tot een staakt-het-vuren. De jarenlange burgeroorlog heeft veel Angolezen in diepe armoede gedompeld, en de strijd tussen de verschillende politieke bewegingen heeft veel bloed doen vloeien. Vandaag is de situatie er min of meer rustig, maar de verkiezingen van 2008 verliepen allesbehalve stabiel. Feitelijk is Angola een eenpartijstaat, geregeerd door een president die niet veel van democratische procedures moet hebben. De familie van Gyselinde, Rana en Marina was waarschijnlijk politiek actief en het slachtoffer van vervolging.

Iedereen komt ergens vandaan

Het verhaal van Gyselinde, Rana en Marina

Mijn naam is Gyselinde. Van ons drieën ben ik de oudste. Ik ben zeventien. Voor mijn twee andere zussen, Rana, die vijftien is, en de jongste, Marina, die nog maar dertien is, ben ik een beetje een moeder. U ziet het, ze kruipen dicht tegen me aan, en ze laten mij vaak praten. We schieten goed met elkaar op.

We zijn ons eigen nestje. We zijn geboren in Angola, in Luanda, de hoofdstad. Luanda is een mooie stad, aan zee, met lanen en tuinen en parken. Er zijn ook veel kerken. We houden van kerken, mijn zussen en ik, ook hier. Elke zondag gaan we drie uur lang naar de kerk. In Aalst. We zijn protestants. Dat is veel leuker dan katholiek zijn, katholieke diensten zijn nogal saai. In onze kerk wordt veel gezongen en gedanst. Daar houden wij van.

In Luanda woonden we in een huis met een mooie tuin. De huizen in Afrika zijn anders dan hier, veel meer open, dat kan daar, met die warmte. Het was een huurhuis waar we woonden, maar het was er goed en gerieflijk. We woonden er met onze tante en haar kind. We hebben ook twee broers, maar die woonden toen al in België, zij zijn al acht jaar hier.

Onze ouders zijn overleden toen de oudste van ons vijf, zes jaar oud was. Mijn zussen en ik hebben hen eigenlijk nooit gekend, we hebben altijd bij onze tante gewoond. Van onze ouders herinneren we ons niets. Er zijn alleen een paar foto's, en de kleine verhaaltjes van onze tante. Onze papa was eigenlijk weinig thuis, en mama was ook vaak weg. Ze werkten altijd.

Nu zijn we al drie jaar hier in België. In Angola leefden we zoals hier. We gingen naar school en naar de kerk. Onze tante was een zus van mijn vader. Verder hebben we geen familie meer.

Het verhaal van mijn ouders kennen we van onze tante, zij heeft het ons verteld. Onze vader zat in de politiek. Op een dag zijn de soldaten hem komen zoeken. Hij moest vluchten, en onze moeder ook. We weten niet wat er met hen gebeurd is, of ze nog leven of niet, of ze vermoord zijn of niet. Ook onze tante weet niet wat er gebeurd is. We hebben onze ouders niet teruggevonden of kunnen begraven. Misschien dat onze tante meer te weten kan komen. We zouden graag meer weten. We willen naar het Rode Kruis en Caritas stappen, die sporen vermiste mensen op. Dat gaan we doen.

Onze tante kreeg meer en meer financiële problemen. Ze kon haar rekeningen niet meer betalen, ze had het heel erg moeilijk. De politie kwam haar zoeken. Toen is ze naar een vriend van haar gegaan. Die vriend zei haar: 'Kijk, als je zo veel problemen blijft hebben, en de politie blijft je maar zoeken, dan moeten we iets doen. Ik weet dat de broers van je nichtjes in Europa wonen, misschien is het dan het beste die meisjes ook naar Europa te sturen.'

Onze tante is toen verdwenen. De politie heeft haar naar de gevangenis gebracht. Er was niemand meer om voor ons te zorgen. Die vriend van onze tante heeft ons toen hierheen gebracht, met het vliegtuig, en daarna is ook hij verdwenen. We hebben eerst in Angola een tijdje bij hem gewoond. Hij is met ons meegekomen en hier in België is hij verdwenen. Toen we aankwamen op de luchthaven zei hij: 'Ik ga met jullie broers bellen. Wacht hier op hen.'

Toen is hij weggegaan.
Hij kwam niet meer terug.

We voelden ons verlaten,
we moesten huilen.

Een Congolese mevrouw zag ons, ze vroeg:
'Waarom huilen jullie?'

Ik vertelde wat er gebeurd was en ze zei:
'Ik neem jullie mee naar mijn huis.'

We zijn een dag bij haar gebleven, de volgende ochtend heeft ze ons naar het Commissariaat voor de Vluchtelingen gebracht. We hadden waarschijnlijk valse papieren en paspoorten, maar dat weten we niet.

We waren kinderen,
kleine kinderen.

Veel zin om naar België te komen hadden we niet. We voelden ons niet goed, zeker in het vliegtuig. Het was de eerste keer dat we vlogen. We moesten huilen en Marina brulde het uit.

Ik begrijp dat.
Je moet in zo'n machine stappen,
een machine die lawaai maakt

en dan vliegt,
en dan aankomt

in een ander land, met andere mensen
in andere kleuren.

Overal zagen we witte mensen.

Dat maakte ons bang,
alleen ik was niet bang.

Ik ben de oudste, ik moet sterk zijn
en voor mijn zussen zorgen.

De eerste twee jaren hier waren het zwaarst. We moesten altijd huilen,
we voelden ons altijd slecht.

Alles wat we kenden,
alles wat we geleerd hadden,

moesten we vergeten.

We moesten alles
opnieuw leren doen.

Die mevrouw uit Congo bracht ons dus de dag na onze aankomst naar het Commissariaat voor de Vluchtelingen. Daar moesten we wachten tot ze ons zouden interviewen. Er zaten wel duizend andere mensen op hun beurt te wachten, allemaal met een ticketje in de handen, met daarop hun nummer. Er komen zo veel mensen hierheen, zo veel. Je weet het pas als je het met je eigen ogen ziet.

We moesten ons verhaal vertellen: waar we vandaan kwamen, waarom we uit ons land waren weggegaan, hoe we hierheen waren gekomen en met wie. Ze vroegen ook of we familie hadden in Europa. 'Ja,' zeiden we. 'Onze twee broers wonen hier.' Hun namen zaten in de computer, zo heeft het Commissariaat onze broers voor ons teruggevonden.

Toen moesten we naar een opvangcentrum voor vluchtelingen, in Brussel. Daar zijn we twee weken gebleven. Van daaruit zijn we toen naar Sint-Truiden gebracht, een heel groot opvangcentrum. We hebben er één jaar gewoond. Het was een open huis. We konden naar buiten en alles doen wat we wilden, maar we moesten 's avonds wel op tijd weer binnen zijn.

Er werd daar niet zo goed voor ons gezorgd. Het was er te groot, er waren veel te veel mensen, zo veel verschillende mensen. Als we ziek waren konden de begeleiders ons niet altijd helpen. We moesten zelf naar de dokter gaan en alles oplossen.

We liepen er verloren.
We hadden geen thuis.

De toiletten waren altijd vies. Het eten was nooit op tijd klaar, maar we moesten het eten zoals het op tafel kwam. We hadden daar vaak ruzie met de andere mensen. We hadden daar een vriendin, maar die maakte over alles problemen. Ze maakte problemen over haar kamer, over de douches. Over alles. Het was er moeilijk leven. Toen zijn we naar Ieper overgebracht, naar weer een ander opvangcentrum. Ik heb in mijn schriftje genoteerd hoe lang we daar verbleven hebben.

Ja, ik houd een schriftje bij.
Ik zoek het even.

Ik schrijf alles op,
om niets

te vergeten.

Ik wil alles onthouden om later de mensen te kunnen vertellen hoe het ons vergaan is. Ook voor de procedure is het belangrijk dat je alles nog weet.

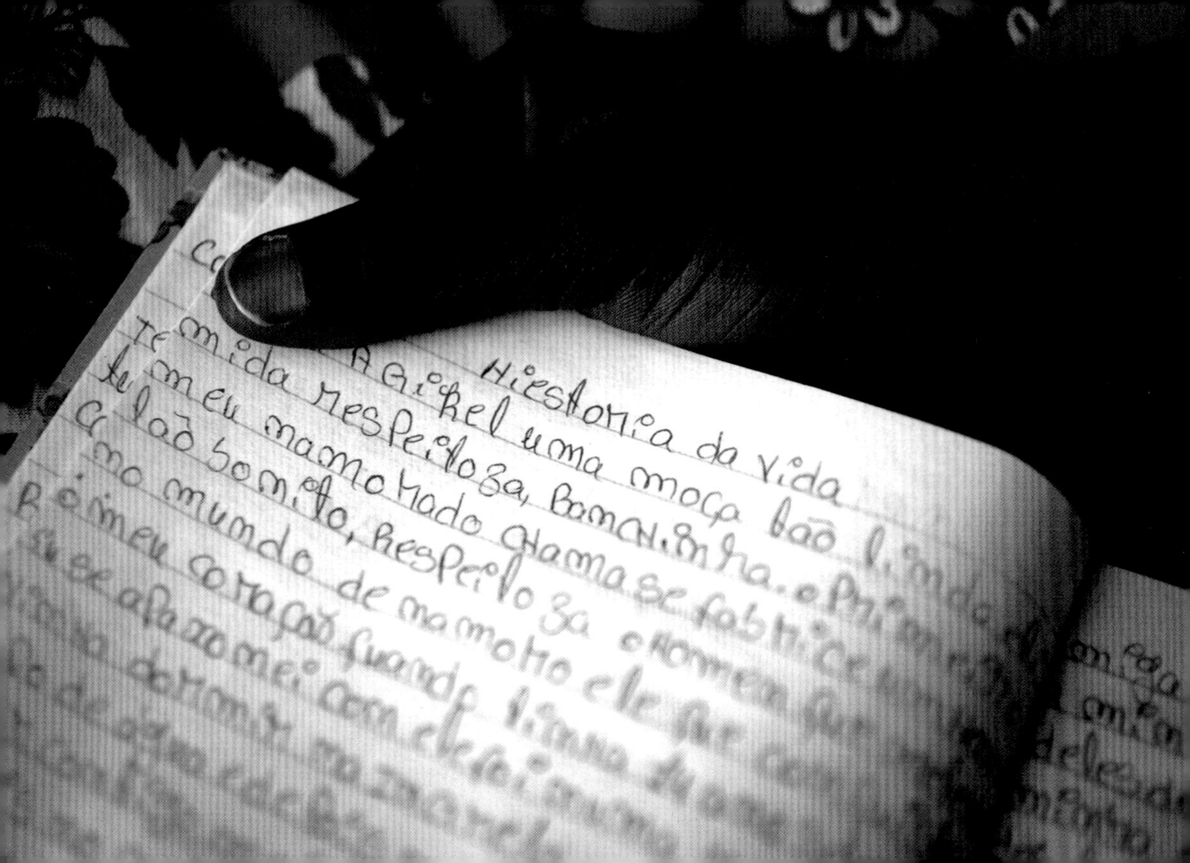
Hiestoria da vida

Altijd weer moeten we ons
alles kunnen herinneren.

Het verhaal moet telkens weer
kloppen, altijd hetzelfde zijn.

Daarom schrijf ik alles op.

We zijn altijd bang dat wat we vertellen niet zal kloppen.
Onze advocaat en onze voogden zeggen het altijd weer:

Jullie verhaal moet kloppen.
De tweede keer moet het verhaal

hetzelfde zijn
als de eerste keer.

Dat herhalen ze altijd weer.

We waren zo bang dat we niet
hetzelfde verhaal zouden vertellen,
dat ze zouden zeggen:

'Jullie, jullie zijn geen
echte vluchtelingen.'

In Ieper zijn we vier maanden gebleven, het was er heel goed. Er waren maar veertien andere mensen en ze waren lief voor ons. Ze waren als moeders. Ze vroegen: 'Hoe was het op school vandaag?' en andere dingen.

Het was een warm nest.
We waren er thuis.

Maar na vier maanden ging het centrum in Ieper dicht. Dat was heel erg. Dat was een ramp. We moesten weer weg. Nog maar eens. We waren heel erg triest. Nu moesten we naar Aalst, naar Juna, waar vluchtelingenjongeren kunnen wonen. Daar hebben we vijf maanden verbleven. Eerst waren we er angstig, we hadden stress. We hadden al zo veel keer moeten verhuizen. We lachten niet vaak meer. Ik was heel ernstig in die tijd. Ik vertrouwde nog maar weinig mensen. Ik voelde me verantwoordelijk voor mijn zussen. Dat is nog steeds zo, maar nu maak ik me minder zorgen om hen. Ik heb het nu wat makkelijker. We hebben papieren gekregen, we kunnen hier blijven. Dat is een geruststelling.

De eerste tijd ging het goed in Juna. Marina had daar een vriendin, daar kon ze het eerst goed mee vinden. Maar na een tijdje ging die vriendin haar meer en meer negeren. Aan tafel keek ze op noch om naar ons. En stilaan begon ze Marina te pesten. Dat konden Rana en ik niet laten gebeuren.

Wij zijn zussen,
wij beschermen elkaar.

Marina's vriendin had zelf nog een andere vriendin, dus was het drie tegen twee: drie zussen uit Angola tegen een meisje uit Rusland en een meisje uit Nigeria.

Ze bleven ons maar pesten.
Ze zeiden: 'Jullie zijn chimpansees.'

Toen ze op een dag een glas water naar Rana gooiden, is het uit de hand gelopen. Het werd een drama. De glazen vlogen in het rond. De politie werd erbij geroepen, en ook onze voogd. Die zei: 'Jullie moeten hier weg om een beetje tot rust te komen. Jullie zijn wat te agressief.' En de begeleider van Juna zei: 'Jullie zijn met drieën en jullie vriendin is alleen, dus zijn jullie agressiever dan zij.'

Daarom moesten we weg.
We waren boos.

Toen zijn we bij onze broers terechtgekomen. In Gent. We kenden onze broers al van in Sint-Truiden. Onze voogd had met hen gebeld en gezegd: 'Luister, jullie hebben drie zussen, en ze zijn hier in België. Als je hen wilt zien kun je naar hen toe.' Dat hebben ze toen gedaan. Soms kwamen zij hierheen, soms logeerden wij in het weekend bij hen.

Nadat we uit Aalst weg moesten woonden we eerst bij onze oudste broer, voor acht maanden, en toen bij de jongste, voor een klein jaar. Maar er waren altijd problemen, over geld en afspraken. Dat werkte niet zo best. Meisjes en jongens, dat werkt niet zo best als je zo jong bent. We hadden ook nooit echt met elkaar samengeleefd. Heel eventjes maar, in Luanda, bij onze tante. Maar hier in België werkte het niet. Er moest nieuwe opvang voor ons gevonden worden. We werden gescheiden, voor het eerst. Zo zijn we op afzonderlijke plaatsen terechtgekomen.

Ik woon nu zelfstandig. Marina is op zoek naar een pleeggezin en Rana voelt zich goed in een nieuw begeleidingstehuis, waar de andere jongeren allemaal Belgen zijn, kinderen uit moeilijke gezinnen. Voor haar en de andere jongeren is dat een hele belevenis, en heel erg leerrijk. Marina heeft eerst een tijdje in een Congolees pleeggezin verbleven, maar het boterde niet met de pleegvader. Hij maakte altijd problemen als ze het huis uit ging, als ze bij mij en Rana op bezoek kwam of het weekend bij ons doorbracht. Haar pleegvader wilde dat ze altijd thuisbleef. Hij antwoordde nooit als Marina goedemorgen of goedenavond zei. Ze wist niet waarom ze ons van die man niet mocht zien en wij begrepen het ook niet. Toen is Marina daar weggegaan. Het was te moeilijk voor haar. De andere kinderen gingen voor in dat gezin.

Voorlopig mag Marina nu bij mij wonen. Dat is goed. We hebben nooit ruzie, maar ook al ben ik van ons drieën de oudste, ik ben pas zeventien. Ik kan nog geen pleegouder zijn. We moeten wachten tot ik achttien word, dan mag het wel.

Ik wil graag verpleegster worden. Ik ben blij dat ik hier kan studeren, maar als mijn studies voorbij zijn wil ik graag naar Angola terugkeren. Van ons drieën heb ik het land het beste gekend. Hier is er zoveel waarmee ik me maar moeilijk kan verzoenen, en ginder is er nog zoveel dat ik wil uitzoeken en te weten komen. Ik heb hier nu een vriend, gelukkig wil hij ook naar Angola. Hijzelf komt uit Congo, dat is niet zo ver van Angola vandaan.

Voor mijn zussen liggen de zaken iets anders, zij zijn jonger dan ik. Van Angola weten zij niet zoveel meer. Marina wil graag vroedvrouw worden, zij twijfelt nog of ze terug wil. Misschien blijft zij wel in België. Rana wil absoluut niet terug, zij wil hier blijven. Ze wil graag logistiek assistente worden. Mijn zussen hebben hier ook veel vrienden gemaakt, uit Congo, en uit Ghana. Ze kennen weinig echte Belgen. De Belgen stellen altijd vragen.

'Waarom ben je hier?'
'Wat is je overkomen?'
'Waar zijn je ouders?'
'Wil je hier blijven?'

Het gebeurt constant. Het is niet uit racisme, dat komen we hier niet zo vaak tegen, maar op den duur ben je die vragen beu. Ik begrijp het wel. Je moet ook één keer echt je verhaal doen, zoals nu, maar met andere vluchtelingen heb je dat niet. Iedereen komt ergens vandaan. Er is niet veel uitleg nodig wanneer je als vluchteling een andere vluchteling leert kennen.

Soms zegt iemand van hier weleens: 'Jij bent zwart', maar meestal is het niet kwaad bedoeld. In Afrika vinden wij witte mensen ook iets bijzonders. Misschien is dat hier bij de witte mensen net hetzelfde, en vinden zij ons bijzonder. Het is soms wel vreemd als we op de bus stappen, dat de andere passagiers dan een beetje opschuiven.

Je ziet hen denken:
dat zijn zwarte mensen.

Dat merken we vaak.

Ze zijn bang, denk ik.

Soms worden we ook geplaagd. Kinderen op straat roepen dan 'Aap, aap' naar ons. Maar dat is geen pesten, we worden niet geviseerd. Wij vinden 'zwarte' geen scheldwoord. Zoals 'blanke' ook geen scheldwoord is. De meeste Belgen zijn in het begin een beetje afstandelijk, maar eigenlijk hebben ze dezelfde gevoelens als wij.

We zijn blij dat we hier kunnen studeren, maar het schoolleven in België ligt ons niet, alles is zo strikt geregeld. Belgen kunnen ook niet zonder agenda. Wat is dat, een agenda? Als je met iemand een afspraak maakt, moet je ook stipt op tijd zijn. In Angola was er meer vrijheid. In België moet je alles plannen, alles zit zo in hokjes. De schooldagen zijn hier ook zo lang, een hele dag. In Angola stoppen we om twaalf uur. Toen ik hier naar school moest dacht ik: het is twaalf uur 's middags, nu kunnen we de stad in, hoera! Ik meende dat de schooldag voorbij was. Een van de leraren zag me in de stad en vroeg: 'Wat doe jij hier?' En ik kreeg straf.

Het is soms moeilijk op school, met de taal. Als we testen moeten invullen of examens afleggen. Sommige mensen vinden dat ik vrij goed Nederlands praat, maar op school zeggen ze dat ik de taal nog veel beter moet leren spreken. Verder heeft België ook veel goede kanten.

Het is hier veilig.

Dit land biedt ons veiligheid. Als we problemen hebben kunnen we altijd bij iemand terecht. Dat zie je niet vaak, in Afrika. In Angola waren we niet echt rijk, maar ook niet arm. We konden eten kopen en nieuwe kleren wanneer we dat wilden. Het was een gewoon leven, het leven dat we daar hadden, maar als ik naar Angola terugkeer, later, wil ik niet meer in Luanda wonen.

Dat zou ik niet kunnen.
Het zou niet goed zijn, denk ik.

Ik wil een nieuw leven beginnen.

Dat lijkt me het beste.

Mongolië, het land waar Xairtdaa vandaan komt, was tot 1990 een communistische eenpartijstaat die sterk onder invloed van de Sovjet-Unie stond en geregeld het toneel vormde van spanningen met de Volksrepubliek China. Sinds 1990 is het land een republiek, geschraagd door een democratisch stelsel. Traditioneel waren de Mongoolse volkeren landbouwers en veetelers die er een nomadische levenswijze op na hielden. Onder de invloedssfeer van de Sovjet-Unie werden sectoren als de mijnbouw prominenter, maar na de instorting van het Sovjetregime won de landbouw opnieuw aan belang. Mijnbouw en andere zware industrieën bleven wel bestaan en nemen, ook door de honger naar ertsen van nieuwe economische grootmachten zoals China en India, weer aan gewicht toe. Sociaal bestaat er in het land een sterke tweedeling tussen een rurale bevolking die zich aan de traditionele veeteelt wijdt en een urbane populatie in en om de industriegebieden, waar ook gemeenschappen van buitenlandse arbeiders leven. Deze situatie zorgt soms voor spanningen. De introductie van de democratie leidde ook tot een bloei van de vrije handel. Om en nabij de dertigduizend private ondernemingen zouden in Mongolië gevestigd zijn, de grote meerderheid in de hoofdstad Ulaanbaatar. Xairtdaas vader moet een van die ondernemers geweest zijn.

België is het beste land

Het verhaal van Xairtdaa

Noem me maar Xairtdaa. Ja, ik weet dat mensen in België zo'n naam moeilijk kunnen uitspreken. Als wij het uitspreken klinkt het als Gaa'rta. In het Mongools betekent dat 'Voor mijn liefde'. Mongolië is mijn land, heel groot, vol woeste steppen en gebergten, en de zomers zijn er de mooiste op de hele wereld. Vroeger was mijn land nog veel groter, in de tijd van Djengis Khan. Zelfs de Bengaalse Zee was toen van ons, maar veel van ons gebied is later bij Rusland gevoegd.

Het leven is heel moeilijk in Mongolië, hoe mooi het land ook is. Er komen veel mensen uit andere landen werken: Chinezen, Marokkanen, Irakezen en Iraniërs, en ook mensen met een zwarte huid. Er wordt veel gevochten. Mensen uit Japan komen naar mijn land voor ons water en onze olie. Ze betalen ons voor ons water en onze olie, maar onze rivieren worden vies en onze aarde zit vol gif. De Japanners worden rijk en wij krijgen niets, alleen viezigheid en gif. We hebben onze paarden en kamelen, dat is alles. De mensen van

Mongolië zouden het liefst alles zelf doen, dan zouden we allemaal een inkomen hebben. Mijn land is geplunderd.

Ik ben geboren in Ulaanbaatar, de hoofdstad, en ik ben nu al vijf jaar in België. Vorige week ben ik negentien geworden. Ik was nog een kind toen ik hierheen kwam. Mijn vader was een groot man, hij was rijk en genoot veel aanzien. Hij was een succesrijk zakenman. Hij is gestorven, daarom ben ik nu hier. Mijn stiefmoeder moest niet veel van me hebben, ze hield niet van mij. Ze hield vooral van het geld van mijn vader. Mijn echte moeder is kort na mijn geboorte gestorven, ik heb haar nooit echt gekend.

Ik ben helemaal alleen hierheen gekomen,
helemaal alleen,
ik was dertien jaar oud.

Toen mijn vader stierf, haalde mijn stiefmoeder me van school. Ik moest met alle lessen stoppen en uit werken gaan, zwaar werk. Ik had een goed leven, voor mijn vader stierf, ik zat op een heel degelijke school. Nu moest ik in de goudmijnen gaan werken, meer dan acht uur per dag onder de grond.

De mijn lag ver weg, dicht bij de grens met China. Er werkten heel veel mensen in die mijn, ook kinderen. Zeker dertig, ook kinderen van zeven of acht jaar oud. De grote mensen werkten bovengronds. Wij waren het, de kinderen, die de mijnschacht in moesten. Ik verdiende niet slecht, het was een rijke mijn, maar alles wat ik verdiende moest ik aan mijn stiefmoeder geven. Ze gaf me te eten, maar dat was alles.

Het was geen gemakkelijke tijd in Mongolië, en het was soms knokken. Je ziet dat ik er een litteken aan overgehouden heb. Ik werkte vaak zwart, en je kreeg niet altijd correct betaald. Op een keer heb ik ruzie gemaakt, het ging er hard aan toe en toen kreeg ik een klap op mijn hoofd. Het was een diepe wonde, ik bloedde en moest naar het ziekenhuis om de wonde te laten hechten.

Mongolië is een moeilijk land. De mensen zijn er hard, er zijn ook heel veel racisten, heel erg veel. Er is geen gebrek aan racisten in Mongolië. Er is veel ruzie tussen de Chinezen en de mensen van Mongolië. Ik heb eens meegemaakt dat er ruzie uitbrak tussen een groep Chinezen en een groep Mongolen. Iemand liep naar de politie en de politie vroeg: 'Wie heeft er gewonnen? De Mongolen? Goed zo, laat ze maar.' De politie doet haar werk niet.

Hier in België is er geen ruzie.
Als ik ruzie zou maken,
zou ik alles verliezen.

Ik zou dan uit België weg moeten
en dat wil ik niet.

Daarom draag ik die zonnebril,
een tijdje geleden heb ik
moeten vechten op straat,
en mijn oog
is nog altijd wat gezwollen.

Elke dag leg ik er wat ijs op.

Ik ben weggegaan uit de mijn toen op een nacht, terwijl ik en de anderen sliepen, de wolfshonden kwamen. Al die honden, en ze maakten ons bang. Ze kwamen in het donker en iedereen liep weg. Ik heb een tijdlang door de straten gedwaald.

Tot ik kon meerijden met een auto. Zo ben ik naar Ulaanbaatar teruggekeerd, naar een vriend van mijn vader. Hem heb ik alles verteld wat er sinds de dood van mijn vader gebeurd was.

Hij zei: 'Ik zal je helpen
om een ander
land te zoeken.'

Hij is met mij naar de bank gegaan. Vanaf mijn geboorte had mijn vader bij de bank voor me gespaard, meer dan tien jaar lang. Dat geld hebben we toen opgehaald. Het ging om meer dan honderdduizend euro. Veel geld, ik weet het. Maar ik moest ook veel kopen.

Bij de mensen die me het land uit
zouden helpen moest ik alles kopen,
een paspoort en alles
wat nodig was
om me het land uit te krijgen.

Als je geld hebt,
dan kan alles,

in Mongolië.

Je zou denken dat het in België anders is, maar dat is niet altijd zo. Toen ik op zoek was naar werk in België, in Antwerpen, voltijds werk, mocht ik ergens pas aan de slag als ik eerst vijfhonderd euro neertelde.

Geef me vijfhonderd euro, zei die man,
en je kunt hier in de keuken werken.

Werk is duur voor mensen die een restaurant hebben. Ik kan haast geen voltijds werk vinden omdat het te duur is, zeggen de chefs. Wel kleine contracten, die kan ik wel krijgen.

Of zwart werk, dat ook.

Toen ik in Mongolië voor alles betaald had, alles wat nodig was om weg te kunnen, ben ik eerst naar Rusland gebracht, naar Moskou, bij een mevrouw. Het was een moeilijke tijd. Ik kreeg te weinig te eten van die mevrouw, en als ik honger heb en ik kan niet eten, dan word ik snel heel erg boos. Ik ging de straat op, daar in Moskou, om eten te zoeken. Toen ik terugkeerde was die mevrouw verdwenen. Ik heb nog één dag op haar gewacht, maar ze keerde niet meer terug. Op straat heb ik toen een man gezien die net als ik uit Mongolië kwam. Ik ben op hem toe gestapt en ik heb hem alles verteld wat me overkomen was.

'Kom met me mee naar mijn huis,' zei hij.
'Daar zal ik voor je zorgen.'

Dat heb ik toen gedaan.
Ik ben met die man meegegaan.

Die man was van de maffia, de Russische maffia. Er woonden nog een paar andere mannen uit Mongolië in dat huis. Ik was toen nog heel erg klein. Ze spraken me altijd aan met 'Ha, jij kleintje, kom eens hier.' Ik heb één maand bij hen verbleven.

Eén man was heel erg lief voor mij, een andere was een echte racist, die was nog maar net bij de maffia. Maar de meeste anderen waren gewoon aardig voor me. Ze handelden vooral in wapens en in drugs. En ik, kleine jongen die ik toen was, ik woonde bij hen in.

Ik heb toen veel gezien. Ik zag hoe ze kogels in hun pistolen laadden en ik mocht soms met ze mee wanneer ze winkels gingen overvallen, of wanneer ze hun drugs doorverkochten aan de dealers, maar meestal moest ik in huis blijven. Als het was misgegaan en de politie was erbij gekomen, dan zou ik zware problemen hebben gehad. Ook bij die overvallen bleef ik in de auto zitten, ik mocht niet mee naar binnen gaan. Ik zag hoe ze dingen stukschoten in die winkels. Ik weet niet of ze toen ook op mensen schoten. Ze namen me wel vaak mee naar discotheken. Dan zeiden ze: 'Die kleine is ons jongste broertje.' Zo mocht ik mee naar binnen.

Na een maand hebben ze mij een visum voor Tsjechië bezorgd, en daar ben ik toen heen gegaan. Helemaal in mijn eentje. Met het vliegtuig. Op de luchthaven heb ik geen enkele controle gehad. Hoe dat kan, weet ik niet. De piloot van het vliegtuig had wel mijn paspoort bij zich genomen.

Ik denk dat alles op voorhand
geregeld was, dat alles
betaald was.

Vraag me niet in welke stad ik aankwam. Ik ken Tsjechië totaal niet. Ik ben er amper twee weken geweest, tot mijn visum voor Frankrijk klaar was. Ik kon niet naar buiten, ik moest twee weken lang in dat hotel blijven werken waar ik heen was gebracht door de man die me op het vliegveld had opgewacht. In die twee weken moest ik werken om dat visum voor Frankrijk te betalen. Ik wilde naar Frankrijk om van daaruit naar Engeland te kunnen reizen. Een neef van mij woont daar, in Londen.

Ik was helemaal alleen in Frankrijk en ik had het moeilijk. Tot Frankrijk moest ik voor alles betalen, daarna was ik alleen. Er waren daar nog meer mensen die vluchteling waren, mensen uit Mongolië. Aan hen kon ik vragen hoe ik het beste naar Engeland zou kunnen, en zo ben ik dan in België terechtgekomen.

Ze zeiden dat het ook via België kon,
maar ook hier viel het niet mee.

Zo ben ik dan naar Frankrijk teruggekeerd, en dan weer naar België gegaan, en nog maar 's teruggekeerd naar Frankrijk, en dan toch weer naar België. Ik reisde altijd per bus. Maar één keer heb ik de trein genomen.

De mensen praatten over me,
en ik begreep ze niet,
maar ik begreep wel

dat ze over mij aan het praten waren.

Zo heb ik bijna één jaar lang altijd
heen en weer gereisd.

Ten slotte ben ik naar Brussel gegaan, naar het Noordstation. Die mensen hadden gezegd dat het beter was als ik naar een tehuis zou gaan. Toen is alles heel rustig voor me geworden.

Er waren nog twee andere jongens uit Mongolië in het opvangcentrum, met hen kon ik goed praten. Ik had er een thuis. Een van de jongens wilde graag van me weten hoe het er in mijn land toeging, en ik kon dus veel vertellen. Hij was maar vier jaar oud toen hij samen met zijn moeder hierheen gekomen is en hij wist niet veel van ons land, maar hij wist wel veel dingen over Europa die ik nog niet wist, en dat kon hij dan weer aan mij vertellen.

Ik ben blij dat ik in België ben.
In België is het beter dan in Mongolië,
het is hier rustig voor mij.

België is het beste land.

Ik ben nooit bang geweest tijdens mijn lange tocht. Nooit, dat is echt waar. Weet je waarom? Toen ik nog in Mongolië was, moest ik elke dag meer dan dertig meter onder de grond kruipen om te werken.

Toen was ik wel bang, ik was nog heel klein
en ik was doodsbang. Zeker de eerste twee,
drie maanden, ik kende niemand,

ik wist niet hoe het was,
onder de grond,

was ik doodsbang.

Na twee maanden kende ik de mensen wel
en ik wist ook hoe ik moest kruipen daar
onder de grond, en ik was
niet bang meer. Gelukkig

is de grond nooit op mij gevallen.

Als de grond op jou valt en je zit
dieper dan drie meter,

dan ben je dood.

Drie meter is diep genoeg.

Ik ben nog altijd boos op mijn stiefmoeder in Mongolië. Toen mijn vader nog leefde, mocht ik naar een grote school, eerst voltijds onderwijs, en dan deeltijds. Ik kon de keukenschool volgen, en ik deed ook aan fitness. Ik had een goed leven, we kwamen niets tekort. Hij was een goede zakenman en een fijne man, mijn vader. Ik had ook nog een broer, maar van hem heb ik nooit meer iets gehoord. Aan vrienden in Mongolië heb ik weleens naar hem gevraagd. Ik weet dat hij in een grote stad in Mongolië woont, maar ik heb geen adres van hem en hij laat niet van zich horen. Hij is iets jonger dan ik, vijftien. Ik zou deze zomer naar Mongolië willen terugkeren en dan zou ik graag naar hem op zoek gaan, maar eerst moet mijn witte kaart veranderen. Ik moet een document hebben waarmee ik hier in België kan blijven, anders kan ik het land niet uit, want als ik nu België zou verlaten, mag ik niet meer terugkeren.

Ik moet eerst zicht krijgen
op mijn leven hier.

Als ik nu naar mijn land zou gaan,
kan ik daar geen leven hebben, en als ik

zonder de juiste papieren vertrek,
verlies ik mijn leven hier.

Ik zou graag chef-kok worden. Ik heb een certificaat van de technische school, waarmee ik in restaurantkeukens en zo aan het werk kan, maar ik zou graag de chef van mijn eigen eethuis zijn. Ik heb hier de opvangklas voor anderstalige nieuwkomers gevolgd, maar op school ging het niet altijd goed met mij. Toen ik achttien werd, ben ik even in Antwerpen gaan wonen, helemaal op mijn eentje. Dat was moeilijk en het lukte niet erg. Ik was er helemaal alleen, ook al waren er in Antwerpen veel mensen uit mijn land. Maar ze praatten altijd over mij, en ik heb niet graag dat er achter mijn rug over me geroddeld wordt. Ze zeiden altijd:

'Die jongen woonde eerst
in Brussel, en nu komt hij
hierheen.

En hij zoekt werk,

en hij zat eerst op school,
dat is niet pluis. Hij heeft vast

van alles uitgespookt.'

Ze deden niks anders dan over mijn problemen kletsen. Hoe kunnen zij weten hoe ik hierheen gekomen ben? Ze praatten maar en praatten maar over mij, alsof ze dat allemaal wisten. Daarom ben ik naar Brussel teruggekeerd. Sinds december woon ik weer bij mijn pleegmoeder. Bij haar is het goed, het is de beste plek voor mij om te wonen. Zij is zelf van Mongoolse afkomst. Ze praat altijd goed met mij, anders dan die andere mensen, die altijd achter mijn rug zaten te roddelen, en die altijd zeiden dat ik allerlei dingen misdaan heb.

Ik vertrouw de mensen niet meer zo snel.

Het was in die tijd dat ik een maand of twee in een restaurant heb gewerkt, toen ik van de baas eerst die vijfhonderd euro moest betalen om er te mogen werken.

Sommige mensen vinden mij raar,
want ik ben geen Belg
en ik heb geen vaste papieren.

Dan zeggen zij: 'Jij bent maar
tijdelijk hier en je bent Aziaat.

Jij kunt helemaal niet koken.'

Dan zeg ik: 'Probeer maar,
vraag me maar iets
klaar te maken

en ik doe het.'

Ik moet altijd weer mezelf bewijzen. Dan maak ik varkensgebraad met champignonsaus klaar. En asperges. Dat heet toch zo? Ik vergeet soms de namen. Ik ben een jaar niet naar school geweest, daarom moet ik soms naar de namen zoeken.

Dus die man proefde van mijn varkensgebraad
en mijn asperges, en hij zei:
'Het is heel erg lekker. Geef me

vijfhonderd euro.
Dan mag je hier werken.'

Ik heb dat gedaan.

Ik heb werk nodig om te leven,
eten te kopen, te bestaan.

Het gebeurt heel vaak. Ik ken zelf veel mensen die moeten betalen om te mogen werken, ook mensen uit Mongolië. Er wonen zeker vijfhonderd mensen uit Mongolië in Antwerpen, en die werken allemaal hard, maar allemaal hebben ze eerst een paar honderd euro moeten betalen voor ze mochten werken. Je moet altijd bij iemand werk kopen. Je koopt iemand zijn baan en dan betaal je hem daarvoor. Ik heb zelfs eens duizend euro moeten betalen om te mogen werken op een kermis. Duizend euro is misschien veel geld, maar op de kermis verdien je al snel driehonderd euro, dus dat haal je makkelijk in. Eén keer heb ik op de kermis gewerkt om bierglazen op te halen, dat was zwart werk want ik had toen niets van papieren. En de tweede keer zat ik aan de kassa, want toen had ik mijn verblijfskaart. Dat verdiende goed, bijna tweeduizend euro per maand.

Ik verdiende iedere maand twaalfhonderd euro bij die man in Antwerpen. Er moest honderd euro vanaf voor de belasting, zei hij. De rest kreeg ik zo uitbetaald. Ik kon het gewoon in mijn broekzak stoppen. Ik had veel geld nodig in die tijd, want ik was alleen en ik moest betalen voor mijn appartement, en ik moest mijn eigen kleren kopen en soms wil je ook eens uitgaan.

Nu werk ik weer hier in Brussel. In de keuken van een restaurant in de buurt van de Kruidtuin. Ik ben blij, want het is niet gemakkelijk om keukenwerk te vinden. Een paar jaar geleden ging het als vanzelf, nu werken er heel veel mensen zoals ik in de keukens van de restaurants, er is weinig plaats. Daarom ben ik blij dat ik werk heb en dat ik goed verdien. In Mongolië zou je maximaal honderdvijftig euro maandloon krijgen. Hier is het veel beter, ook dat zwarte werk is niet slecht, want ik hoef niks te betalen.

Aan mensen in Mongolië zeg ik dat het goed leven is in Europa. Ik heb drie vrienden hier, ook zij zijn uit Mongolië hierheen gekomen.

> Ik zei hen: 'Hier is de beste plek.
> Hier is het rustig, je kunt hier veel
> geld verdienen en het leven is goed.'

Ze verblijven nu in het opvangcentrum in Steenokkerzeel. Iedere jongen die naar hier komt, haalt ook weer andere jongens hierheen. Zo werkt het. Maar het kost iets. Om tot in België te komen heb ik bijna vijftigduizend euro moeten uitgeven. Zeker dat eerste jaar heb ik ook hier veel geld uitgegeven. Toen ik in het opvangcentrum verbleef, mochten we alleen op zondag de straat op, dat was telkens een grote dag, dat zul je wel begrijpen. Ik kocht kleren en sigaretjes en messen. Ik hou van messen, niet om mee te vechten maar om mee in de keuken te werken. Vechten, daar hou ik niet van.

Toen ik in Steenokkerzeel was, had ik veel messen bij me: koksmessen, vismessen, ik had alles. Toen ik naar Minor-Ndako kon, had ik al die messen bij me, en ik kon daar twee of drie keer per maand voor de andere jongeren koken.

Ik had ook veel vrienden gemaakt, die kwamen dan allemaal daarheen en we hielden bijna elke dag disco. Niet buiten, maar beneden in een zaal van het centrum.

Die messen ben ik allemaal kwijtgeraakt. Toen ik van Brussel naar Antwerpen verhuisde had ik iemand gevraagd me te helpen. Ik denk dat die man in mijn spullen heeft gesnuffeld. Het woog zwaar, dat hout en het staal van die messen. En de politie is erbij gekomen, en misschien heeft die man gezegd: 'Kijk eens, het ligt daar vol nieuwe kleren en messen.' Zo ben ik alles kwijtgeraakt.

In mijn vrije tijd leer ik nu Frans en natuurlijk ga ik nog altijd graag uit. Ik heb wel een paar Belgische vrienden, maar toch niet zo veel, minder dan tien. En ik heb op school en op het werk vrienden gemaakt. Ik ken genoeg mensen, ik loop niet verloren. Mijn familie mis ik nu wel meer dan vroeger, meer dan toen ik wegging. Ik was nog maar dertien jaar oud, dan begrijp je nog niet echt wat er met je gebeurt. Wellicht was ik daarom niet zo bang onderweg naar hier, omdat ik het allemaal niet goed begreep.

Ik wil zelf heel graag
een familie, ik wil kindjes hebben.

Papa worden,
dat moet.

Vroeger vond ik kleine kinderen ergerlijk, nu vind ik kinderen van twee, drie jaar zo leuk! Een vriend van mij die wat ouder is heeft kinderen, en ik zie hoe lief zij zijn en hoe lief hij voor hen is. Mijn toekomst ken ik natuurlijk niet, ik weet niet of ik een Belgische vrouw zal hebben of een Mongoolse. Ik denk wel dat ik graag een Mongoolse vrouw zou hebben. Als ik op een vrouw uit België of elders verliefd zou worden, en je gaat trouwen, denk ik dat je veel problemen kunt hebben omdat je elkaars cultuur niet altijd begrijpt. Het begint al met de taal. Ik denk dat het gemakkelijker is als je dezelfde taal spreekt. Maar natuurlijk weet niemand wat de toekomst nog kan brengen. Hier in België zijn er maar weinig meisjes uit Mongolië, die hebben hier heel veel succes bij de jongens, maar in Duitsland en in Frankrijk en in Engeland zijn er heel veel Mongoolse meisjes. Misschien kan ik daar eens op zoek gaan. Maar dat is voor later, mijn school en mijn inkomsten, dat is wat nu van tel is. Over een paar jaar misschien, ben ik toe aan een partner.

Er was zo veel zo raar
in dit land
toen ik hier aankwam.

Vijf minuten zon, dan
vijf minuten grijs
en regen en wolken
en sneeuw,

al dat weer, van alles
door elkaar.

Als er in Mongolië zon is,
dan is er zon. Twee, drie weken
aan één stuk.

En als het er regent, dan regent het
dagenlang.

Maar het is hier rustig, zeker voor mensen uit mijn land. Thuis worden we altijd opgejaagd, door de politie, door de soldaten. Er zijn geen straatgevechten hier, zoals ginder. Als er hier ruzie is op straat, dan zijn het meestal Marokkaanse mensen of mensen uit Afrika die herrie zoeken. Ze kunnen heel racistisch zijn. Veel mensen in mijn land drinken, en daar komt altijd ruzie van. In België drinken de mensen tot ze een warm gevoel hebben, en dan stoppen ze. Ik drink zoals de Belgen, om me goed te voelen, meer niet. Je moet je een beetje leren beheersen, vind ik. Dat kunnen ze niet, in Mongolië. Daar is het altijd zuipen en ruzie zoeken, en dan op handen en voeten naar huis kruipen, alsof je geen mens meer bent maar een hond. Er zijn ook steeds meer kinderen die drinken, kinderen van dertien, veertien jaar oud. Dat was anders, toen ik nog klein was.

Ik heb hier leren drinken en roken, toen ik zestien jaar was, in het opvangcentrum in Steenokkerzeel. Alle jongeren die daar verbleven rookten en dronken. Verder was het wel fijn om daar te wonen, maar soms kon het ook heel hard zijn. Niemand begreep me, ik kende alleen maar mijn eigen taal. Daar werd ik soms opstandig van. Ik heb zes maanden in dat centrum gewoond en ik heb er zeker tien keer ruziegemaakt met andere jongens. Er waren zo veel jongens uit zo veel andere landen en sommigen van die jongens deden heel seksueel.

Ik was daar nog maar net, misschien maar
een dag of drie, en er was een jongen,
hij kwam op mijn kamer,

het was nacht, rond een uur of drie,
hij zei: ‘Kom met me mee’,

maar ik wilde niet.
Dat bleef hij maar doen.
Elke nacht weer.

Na een dag of tien vroeg ik mijn vrienden:
‘Wie is dat?’

Ze zeiden: ‘Dat is een homojongen.’

Hij wilde seks met me.
Ik heb toen ruziegemaakt
en hij is weggegaan.

Het was erg moeilijk toen.

Ook al ben ik nu vijf jaar in België, eigenlijk ken ik maar weinig mensen van hier. In het begin mocht ik ook maar heel af en toe naar buiten. Na het werk of na de school moest ik snel weer naar binnen om te slapen. Ik werk nog altijd hard, en ik ga nog altijd naar school. Dat is belangrijk. Vanochtend mocht ik even weg, om met jullie te praten. Maar om twee uur moet ik weer in de les zijn. Misschien weet je nu genoeg van mij. Ik wil niet te laat komen, dat begrijp je wel.

Burundi, het Centraal-Afrikaanse land van waaruit de negenjarige Tim naar zijn tante Doris in Brussel gestuurd werd, is een van de tien armste landen ter wereld. De moderne geschiedenis van Burundi begint na de Eerste Wereldoorlog, toen het verslagen Duitsland het gebied aan België overdroeg, samen met het huidige Rwanda. Ruanda-Urundi, zoals de beide mandaat-gebieden toen gezamenlijk heetten, werd daardoor feitelijk onderdeel van het Belgische koloniale imperium. De problemen die Doris ondervonden heeft, en die haar familie ertoe noopten haar neefje Tim aan haar hoede toe te vertrouwen, vloeien voor een groot deel voort uit de koloniale erfenis. Zowel in Ruanda als in Urundi behielden de Belgen de traditionele adel en monarchie als een onderdeel van het koloniale bestuurssysteem. Het Tutsi-volk, dat grotendeels de regerende kaste uitmaakte, overheerste het veel talrijkere Hutu-volk. Desondanks vielen in de realiteit de etnische scheids-lijnen lang niet zo scherp te trekken. Bij de onafhankelijkheid in 1962 werd Urundi de monarchie Burundi, waarbij de heersende Tutsi-kaste de koning leverde. Vier jaar later werd de republiek uitgeroepen en de monarchie verdreven. Burundi's geschiedenis blijft sindsdien getekend door spanningen tussen Hutu's en Tutsi's. Geregeld hebben zich uitbarstingen van moord-

55

dadig geweld voorgedaan, die niet zelden een genocidair karakter hadden. De tragedie van Burundi heeft, samen met de genocide in Rwanda, in niet geringe mate de totale ontwrichting in het gebied van de Grote Meren in de hand gewerkt. Het geweld van de afgelopen decennia heeft van het land en zijn bevolking dus een zware tol geëist. Het huidige regime probeert nu de bevolkingsgroepen in het land met elkaar te verzoenen. Op dit ogenblik zijn ongeveer een half miljoen vluchtelingen naar Burundi teruggekeerd, wat opnieuw voor grote interne spanningen zorgt, onder meer door disputen over eigendom van grond en huizen. Ook economisch is het land verre van hersteld. Het is mogelijk dat Tims familie de jongen voor zijn veiligheid naar België heeft gestuurd, maar evenzeer kan men hem het land uit gesmokkeld hebben omdat hij hier een betere toekomst kan opbouwen. Wellicht hebben beide redenen een rol gespeeld.

Bij ons ben je nooit alleen

Het verhaal van Tim en Doris

Mijn naam is Doris, ik ben al enkele jaren in België. Uit Burundi ben ik weggegaan kort na de oorlog van de jaren negentig, wegens de vervolgingen. Die kenden net als de oorlog een etnisch karakter. De oorlog in mijn land was eigenlijk dezelfde als die in Rwanda, maar dan omgekeerd. In Rwanda waren het de Hutu's die zich tegen de Tutsi's keerden, en ook wel tegen gematigde Hutu's. Het nationale leger bestond in meerderheid uit Tutsi's. De Hutu's wilden eigenlijk greep krijgen op het leger, en op de staat. In Burundi waren de slachtingen dan weer tegen de Hutu's gericht.

De etnische haat sluimerde al heel lang. Voor je zo'n uitbarsting van geweld krijgt, moet er een hele lange periode aan voorafgaan waarin haat wordt gezaaid, waarin de wapens worden klaargelegd en waarin de moordcampagne wordt voorbereid, tot het teken komt en er gezegd wordt: 'Doe uw werk.'

Hele families zijn op die manier afgeslacht. Na een paar maanden zijn de daders het woud in gevlucht. Ze werden achternagezeten door het leger, dat hen wilde bestraffen en onderbrengen in vluchtelingenkampen, dicht bij de militaire kampementen. Zo ontstonden er twee blokken: de militairen en de vluchtelingen, in kampen net over de grens met landen als Tanzania en Rwanda, en in het woud. Er bleven zich ongeregeldheden en onlusten voordoen. De vluchtelingen in het woud bestreden het leger. Die in de kampen wilden min of meer de draad van hun leven weer oppakken, maar konden weinig doen zonder hulpprogramma's.

De toestand blijft nog altijd gespannen, maar de gewapende groepen zijn intussen gedemobiliseerd en de meeste vluchtelingen zijn naar hun geboortestreek teruggekeerd. Het gaat nu beter, maar bij zwaar getroffen families leeft nog steeds de angst. Er zijn quota ingesteld om de overheidsstructuren evenwichtiger te bemannen, maar zeker in het begin waren er nog veel ongeregeldheden, en momenteel gaat het economisch nog altijd bar slecht. Meer dan tachtig procent van de mensen leeft van de landbouw en heeft het moeilijk. Het verdwijnen van de wouden en de uitdroging van de bodem maken de oogsten schaars. De heropbouw is niet gemakkelijk. En bovendien zijn veel van de Burundezen die naar Europa komen mensen die daartoe de middelen hebben en die vaak ook een goede opleiding genoten hebben. Ze hebben politieke problemen of lijden onder agressie en verlaten hun familie. Zelf heb ik geen ouders meer, maar ik heb nog altijd broers en zussen in het land. Ze hebben allemaal werk en kunnen dus leven.

Mij had men vooral op het oog omdat ik vlak na de oorlog voor de Verenigde Naties werkte. Ik werkte voor een project dat de vele vluchtelingen moest repatriëren die na de slachtingen het land verlaten hadden; bij ons ging het vooral om Tutsi's. We wilden die mensen terughalen, maar aangezien het om mensen ging van een andere etnische groep lag dat moeilijk. In die tijd was het leger nog niet gemengd, het was eigenlijk het leger van één enkele etnische groep, dus viel het niet mee de vluchtelingen terug te halen. Zij waren vaak het land ontvlucht omdat zij mensen van de andere bevolkingsgroep vermoord hadden. Toen het project van start ging zijn we dus begonnen met het terughalen van die mensen om ze weer in het land te vestigen. We kregen toen veel internationale hulp, ook van de Verenigde Naties, vooral voedsel en materiaal.

Vrij snel kreeg ik moeilijkheden, zowel met het leger als met de regering. Ik werd soms om niks vastgehouden en pas 's avonds weer vrijgelaten, net als de anderen die met me samenwerkten en die tot dezelfde etnische groep behoorden als ik. Ook een broer van me was in datzelfde vluchtelingenwerk actief. Zelf ben ik eigenlijk zowel Hutu als Tutsi, ik heb een gemengde afkomst en in Burundi behoor ik tot de koninklijke familie. Het is een familie met een bijzonder prestige, ze behoort tot de minderheid die vroeger het land heeft geleid. Ik ben niet in rechte lijn verwant aan de koningen van Burundi, maar mijn verre grootouders hebben in vroeger tijden mee het land bestuurd. Het is ook een erg grote familie. Ik ken lang niet iedereen. Velen zijn gevlucht voor de slachtingen maar sommigen zijn gebleven, al is het door wat er gebeurd is niet eenvoudig hen op te sporen.

Als ik over de oorlog in de jaren negentig moet spreken, kan ik eigenlijk alleen maar zeggen dat het de hel was. Ik heb mensen verloren, en niet weinig. Een jonger broertje is vermoord, ook veel van mijn nichten en neven, en sommige tantes en ooms, en veel van mijn vrienden. Het was een tijd waarin ik amper sliep, het huis niet uit durfde te komen en als ik toch ergens heen moest, was ik er nooit zeker van of ik nog zou terugkeren. Ik had de hele tijd stress, en die stressvolle tijd heeft zo'n jaar of tien geduurd. Het ging niet om één korte uitbarsting, zoals in Rwanda. Soms ging de spanning liggen, vervolgens laaide het geweld weer op en werd het leven weer gevaarlijk.

Ik was nog jong,
Ik zat op school.

Ik weet nog dat ik naar school ging
en op straat over de lijken
moest stappen.

Die nacht hadden we ook niet geslapen,
want er werd de hele tijd geschoten,

maar we moesten toch de deur uit,
's ochtends, je moest toch

je leven leiden. Zo hebben we
vijf, zes jaar overleefd.

Het is nog altijd niet helemaal voorbij op dit moment, maar het gaat toch beter. Er zijn nu weer politieke partijen die vanuit het woud hun terugkeer naar de uit-oefening van de macht voorbereiden. Ook de president levert inspanningen om zowel de politieke partijen als het leger gemengd te maken en de etnische scheidslijnen te overstijgen. Er is nu toch een begin van een politiek die de mensen met elkaar wil leren samenleven.

Het werk dat ik deed was daar eigenlijk ook op gericht, maar toen, zo vlak na de oorlog, was alles nog heel verwarrend en ongeregeld in mijn land. Omwille van dat vluchtelingenwerk ben ik uiteindelijk twee keer in de cel beland. De tweede keer heeft mijn broer iemand aangesproken die ervoor kon zorgen dat ik het land zou kunnen verlaten. De gevangenissen in Burundi, dat is pure gruwel. Ze lijken in niks op wat we hier kennen. De cellen zijn piepklein en verder is er eigenlijk niks, zelfs geen licht. Je zit er als in een dichtgemaakte doos. Als je wat geld hebt kun je de cipier omkopen of als je familie hebt kan die je eten brengen, maar niet iedereen heeft nog familie.

Ik ben in 2003 hier in België aangekomen, ik was toen drieëntwintig. Het was vreemd, hier aankomen, erg vreemd, maar tezelfdertijd hoefde ik niet meer bang te zijn dat ik in de gevangenis terecht zou komen. Een dag voor ik hierheen kwam, mocht ik er weg. De persoon die me opving heeft me wat kleren gegeven, zij had ook alle papieren. We zijn naar de luchthaven gegaan, daar moest ik me laten registreren en daarna ben ik naar het vliegtuig gebracht. Hier in België heb ik toen een paspoort gekregen en ik kon de luchthaven verlaten. Het is allemaal vlot verlopen.

Het was de eerste keer dat ik reisde. Ik kende hier helemaal niets. Ik weet niet meer of ik met de trein van het vliegveld naar de stad ben gebracht, maar ik weet wel dat we naar het station zijn gegaan en daar iets gegeten hebben. De persoon die bij me was, een landgenoot, zei dat hij me ergens heen ging brengen en dat er middelen waren om me te helpen. Hij heeft me toen tot bij de vreemdelingendienst gebracht en daar is hij weggegaan. Ikzelf ben naar een opvangcentrum gebracht. Na een kleine twee jaar kreeg ik definitieve papieren en ben ik naar Brussel verhuisd.

Het was vreemd om daar
in dat station te zijn,
met al die mensen,
allemaal gehaast.

Het was niet koud,
het was zelfs warm,
want het was augustus.

En je ziet mensen met bagage
sleuren en er is zo veel volk
en zo veel drukte, maar bang
was ik niet,

want ik wist dat ik niet zou sterven.

Dat ik me niet meer hoefde te verbergen,
niet meer zou hoeven vluchten.

Ik ben gelukkig dat ik hier ben,
heel gelukkig.

Ik ben goed opgevangen, ik verbleef in een centrum nabij Leuven en de mensen die me daar begeleidden waren geweldig. Het moeilijkste van aankomen in een ander land is dat de mensen je niet kunnen begrijpen. Er komen veel mensen uit andere landen naar België en die hebben allemaal hun eigen problemen, en er zijn Belgen die nog altijd denken: vreemdelingen zijn vreemdelingen. Iedereen wordt in dezelfde zak gestopt. Ze denken dat iedereen hierheen komt om te profiteren, maar eigenlijk zijn de mensen die dat denken toch maar een minderheid. De meeste Belgen lijken me verstandig. Het gebeurt maar zelden dat ik op bekrompen mensen stuit, maar ze bestaan.

Verder is alleen het weer een aanpassing geweest. De eerste winter hier was niet makkelijk voor mij, maar je raakt eraan gewend. En gelukkig hebben de mensen in het opvangcentrum me veel geleerd. Want als je hier komt weet je niet hoe je dingen moet doen, eenvoudige dingen zoals met de trein reizen of hoe je een lift moet bedienen. Ik was onzeker, maar niet bang, ook niet om tussen zo veel blanken te leven. In Burundi werkte ik al met blanken, al mijn bazen waren blank.

Het enige waar ik echt bang voor was, toen ik hier kwam, en ook nu kan ik er soms nog hard van schrikken, dat is wanneer men vuurwerk afsteekt. Het is alsof er weer met raketten wordt geschoten. In Burundi had je geen nacht zonder dat je schoten en de inslagen van raketten hoorde. Dat was helemaal anders hier, alle nachten waren stil, in augustus en september en oktober. En toen in december, met kerst, mijn eerste kerst in België, begon het. Ik was alleen en ik hoorde schoten. Ik dacht: het wordt hier net als in Burundi. Wist ik veel dat men met kerst en andere feesten vuurwerk maakt.

Ik was doodsbang.
Ik heb me op de vloer geworpen.

Toen het ophield durfde ik niet
op te staan. De hele nacht lang

ben ik op de vloer blijven liggen.

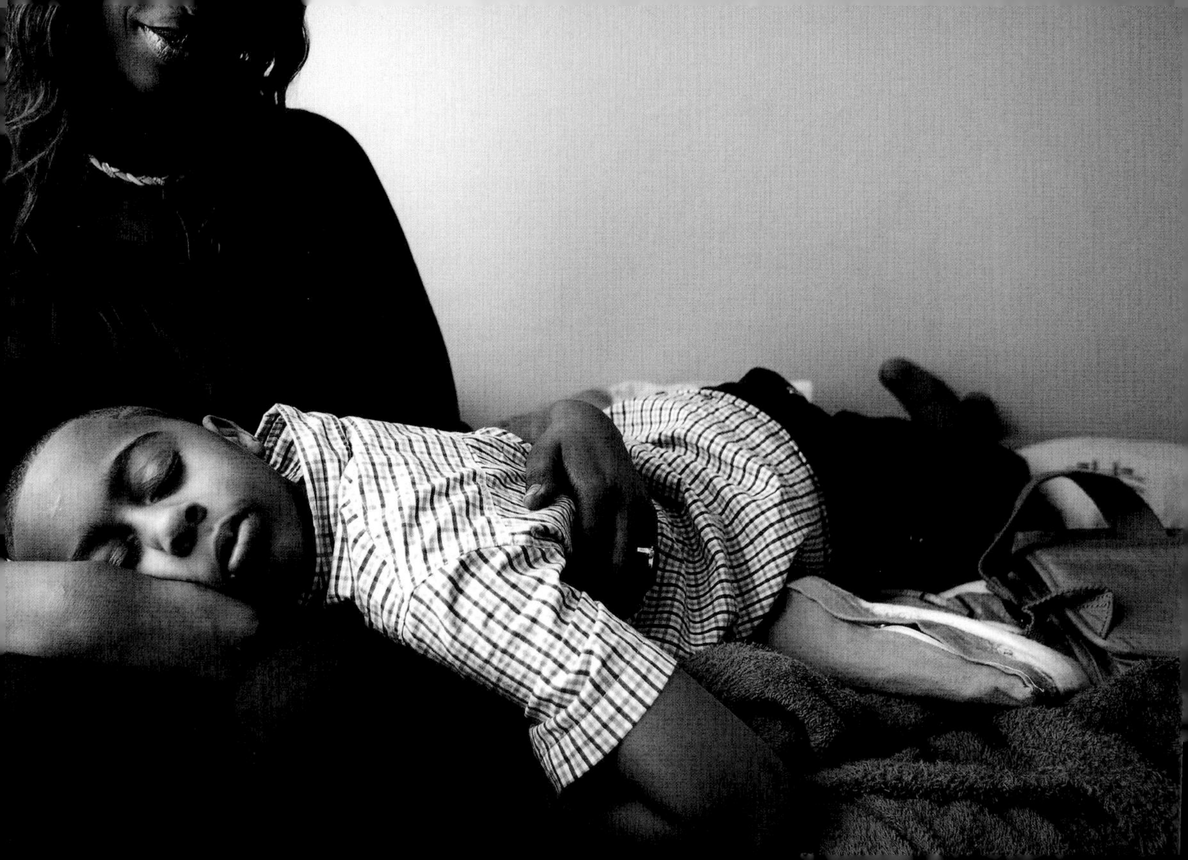

De ochtend daarop wist ik niet goed wat te doen, ik durfde er ook niet over te praten en ik wist ook niet of het opnieuw zou beginnen. Toen ik in Burundi voor het eerst zulke knallen hoorde, was dat omdat er een staatsgreep bezig was. Dus vroeg ik me af of er hier ook een staatsgreep begonnen was. Het was pas toen ik zag dat het leven gewoon doorging, dat ik me weer op mijn gemak begon te voelen.

Tim is later hierheen gekomen, in 2006. Ook hij is met een tussenpersoon in België beland, net als ik. Hij kent zijn geschiedenis, maar natuurlijk niet in detail, hij was toen een peuter van vier.

Ik was thuis.
Ik kreeg telefoon.
Iemand zei: 'Er is een pakketje
voor je aangekomen.'

Ik ben naar die man toe gegaan,
en het pakketje bleek Tim,

het zoontje van mijn zus.

De man die hem begeleidde zei: 'Ik ben met Tim naar België gekomen. Ik moest je komen opzoeken', en hij heeft Tim toen aan mij overgelaten. Ik wist van niks. Ik heb toen contact opgenomen met mijn sociaal assistent, de maatschappelijk werker. Hij zei: 'Ik weet niet goed hoe we dit moeten oplossen. Je moet naar de vreemdelingendienst gaan', en dat heb ik de ochtend daarop gedaan. Ze vroegen me terug te keren. Ook zij wisten niet goed wat te doen. Toen heb ik nog eens met mijn sociaal assistent gebeld en die heeft me toen een telefoonnummer van het ministerie van Justitie gegeven.

Ik wist niet goed wat me overkwam. Ik kon Tim ook weinig vragen stellen, maar hijzelf was heel erg tevreden. Hij wilde alles zien en alles aanraken, zeker al die nieuwe vreemde mensen. Hij was open en blij en nieuwsgierig.

Hij praatte met iedereen.
Zelfs de politieagenten klampte hij aan
en hij zei:

'Ik heet Tim.
En jij?'

Ik belde dus met het ministerie van Justitie en ik heb uitgelegd wat er aan de hand was. Ik moest erheen gaan. Dat heb ik gedaan. Ik werd er goed geholpen. Ik kreeg een begeleidster en het telefoonnummer van een advocaat. Zo hebben we samen voor Tim een school gevonden. Van zijn moeder had ik niets vernomen. Mijn zus was zelf naar Oeganda gevlucht en we hadden al een hele tijd geen nieuws meer van haar ontvangen. Zij en een broer van me hebben het nog geregeld dat Tim hierheen werd gebracht.

Ik was blij hem bij me te hebben. Ik was hier zelf toen nog helemaal alleen, maar ik maakte me wel ongerust en ik had veel vragen. Waarom hadden ze Tim naar me toe gestuurd? Als er geen problemen waren, hadden ze hem toch niet weggestuurd? Pas later heb ik vernomen dat er moeilijkheden waren met Tims vader. Die heeft Tim nooit erkend als zijn zoon. Zijn moeder is toen het land uit gevlucht en Tim was heel angstig. Veel meer weet ik nog altijd niet. Het is steeds moeilijker geworden om het land te verlaten, om bij allerlei *arrangeurs* allerlei papieren geregeld te krijgen, al blijven er mensen honger hebben en willen ze toch het land verlaten. Maar de overheid heeft ook maatregelen tegen de corruptie genomen, waardoor je minder gemakkelijk mensen kunt omkopen.

Het is een vreemde zaak, kinderen met buitenstaanders meegeven om ze naar een ander land te brengen. Het is ook hard, het is een zware beslissing. Maar soms kan het voor het welzijn van de kinderen niet anders. Je doet dat niet zomaar. Ikzelf heb er ook nooit van gedroomd in het buitenland te gaan leven, mijn familie achter te laten en ergens ver weg te gaan wonen. Ik sluit niet uit dat ik ooit naar Burundi terugkeer. Maar het leven moet er eerst weer een normaal verloop kennen.

Ik hoop dat ik mijn kinderen gelukkig kan zien opgroeien. Ik ben blij dat ze naar school kunnen en dat ze het goed doen, net als Tim. Hij is een intelligent kereltje, pienter en wakker en heel opgewekt altijd. Ik wil graag goed werk hebben en mijn eigen huis kunnen kopen. Meer verlang ik niet. De kinderen gaan naar een Nederlandstalige school, ze hebben een toekomst. Mijn leven speelt zich hier af, en voor Tim ben ik een van zijn beide moeders. Zijn echte moeder is na een tijd naar Burundi teruggekeerd. We hebben contact opgenomen. Ze heeft met mij gebeld en Tim heeft ook met haar gepraat. Dat ging heel goed. Hij vroeg ook om foto's en die heeft ze naar hem opgestuurd. We hebben die samen bekeken, en vorig jaar heeft Tim zijn moeder teruggezien. Ik zei hem: 'Als ze moet huilen of droevig is, dan is dat niet omdat ze boos is, maar omdat ze heimwee heeft naar hoe het vroeger was.' Het is allemaal goed verlopen. Voor Tim ben ik zijn mama hier, en er is ook nog zijn mama in Burundi.

In Afrika is het een erg gewone zaak kinderen van verwanten op te nemen en ze groot te brengen alsof het je eigen kinderen zijn. Hier zie je dat veel minder. Kinderen worden hier geplaatst in instellingen of bij pleeggezinnen, terwijl bij ons kinderen van soms erg verre verwanten in het gezin van familieleden worden opgenomen. We zijn sterker met elkaar verbonden. Bij ons ben je nooit alleen. 's Ochtends zijn er altijd mensen in huis. Er komen mensen langs, om mee te eten, om wat te kunnen praten, en meestal is het de hele dag een komen en gaan van buren en anderen. En hier is iedereen alleen. Dat vind ik nog altijd bizar. De eenzaamheid valt me soms erg zwaar. Heel erg zwaar. Je maakt een breuk in je leven. De mensen met wie je opgroeide, je vrienden en je familie, vallen weg. Gelukkig ken ik intussen weer veel mensen. Ik heb ook vrienden van vroeger teruggevonden. Twee van hen, die samen met mij in Burundi nog aan de universiteit gestudeerd hebben, wonen nu in Frankrijk en zijn met Fransen getrouwd. In de vakanties mogen we bij ze op bezoek gaan en zij komen hierheen. Ook in Nederland heb ik vrienden van vroeger teruggevonden. En natuurlijk heb ik hier ook nieuwe mensen leren kennen. België is mijn land geworden en Tim mijn zoon.

Tim

Ik zit op school in Everheide.
Ik heb daar veel vriendjes.

Logan.
Quentin.
Julian.
Melvin.
Dylan en Brian.
Jona.
Sabrina.

Ik zit in het vierde leerjaar.
Wereldonderricht is het liefste wat ik doe.
Over de wereld leren.

Alles wat er in de wereld gebeurt.

Ik ga graag naar school, ik krijg goede cijfers.
Het is niet moeilijk. Ik doe ook aan judo
en toneel. Straks speel ik mee in een stuk,

over een schaap en heel veel
andere dieren. Ik ben de hond.

Als ik groot ben wil ik politieagent worden.
Niet om het verkeer te regelen,
maar om bandieten te pakken.

Dat vind ik leuk.

Ik weet nog een klein beetje over de dag
dat ik naar hier gekomen ben.
Ik wilde dat mijn zus met me mee zou komen,
maar zij wilde niet,

en dus moest ik helemaal alleen weggaan,
samen met iemand anders.

Het was wel leuk in het vliegtuig.
Ik was maar een klein beetje bang.

En toen waren we hier.
En hier heb ik dan mijn mama gezien.

Het was hier helemaal anders
dan bij ons in Burundi,
maar mijn mama heeft me alles getoond,
en dan kon ik gaan spelen.

Ze hadden me in Burundi gezegd
dat ik hier een andere mama zou zien,
maar ik moest eerst nog een beetje wachten.

Hier zijn zo veel witte mensen.
Ik vind witte mensen wel mooi.

Vorig jaar ben ik naar Burundi teruggekeerd.
Daar heb ik mijn echte mama gezien
en ik was blij.

Ze is bijna helemaal dezelfde
als mijn mama hier. Die is alleen een beetje groter
dan mijn echte mama.

Ik heb ook mijn zusje teruggezien.
Daar was ik ook blij om. En ook
mijn oma.

Het was daar warm,
en hier was het heel erg koud.

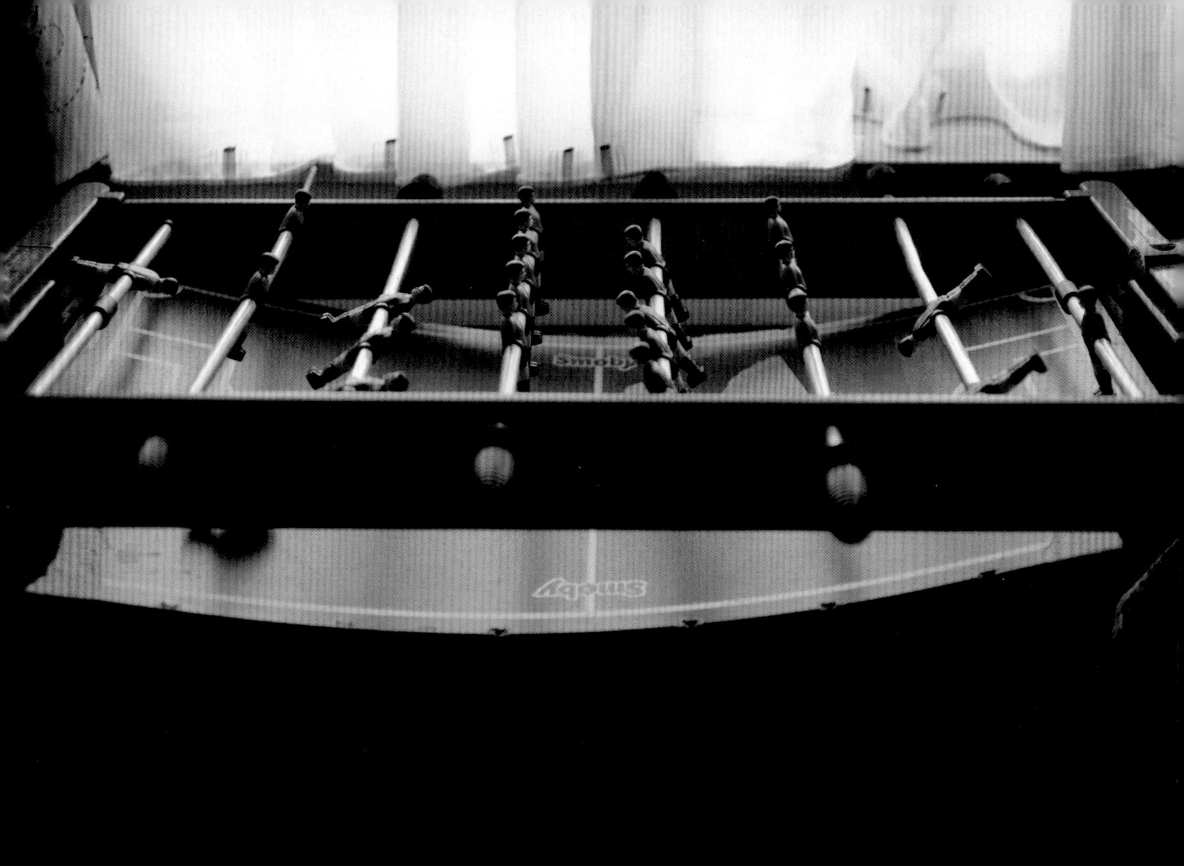

Ik heb ook mijn papa gezien,
ik heb van hem een cadeautje gekregen
en mijn zusje ook.

Zij heeft een klein pianootje gekregen
en ik kreeg een voetbal.

Als ik groot ben wil ik hier politieagent zijn,
maar ik ga toch soms terugkeren naar Burundi

om mijn familie te zien.

Koerdistan, letterlijk het land van de Koerden, in het gebied tussen het huidige Turkije, Iran en Irak, is van oudsher een knooppunt tussen het Westen en het Oosten, en een regio van conflicten. Het behoorde tot het Ottomaanse imperium, dat tijdens de Eerste Wereldoorlog aan zijn einde kwam en waarvan het grondgebied volgens de belangen van de toenmalige grootmachten Frankrijk en Engeland werd verdeeld. De meeste landen van het Midden-Oosten zijn door deze verdelingspolitiek ontstaan. Koerdische voormannen bepleitten toen bij de Britten de oprichting van een eigen staat, wat hun niet werd toegestaan. Vandaag is een noordelijk deel van Koerdistan opgenomen in Turkije, het zuiden vormt een autonome regio in het noorden van Irak. In het gebied blijven grote spanningen bestaan. Turkije wil liever geen autonome Koerdische staat aan zijn zuidelijke grens, omdat dit de separatistische tendensen in zijn eigen Koerdische gebieden nog zou versterken. De Koerdische regio's hebben ook een belangrijke rol gespeeld in de beide Golfoorlogen en zijn van geostrategisch belang. Nogal wat van de aanzienlijke Irakese oliebronnen bevinden zich in het gebied. Het bergachtige grensgebied tussen de Koerdische regio's in Turkije en Irak is verder ook het toneel van een levendige wapenhandel en wapensmokkel, iets waarvan de vader van de jonge Amin duidelijk heeft geprofiteerd.

Niemand weet dat ik een mens ben

Het verhaal van Amin

Mijn naam is Amin. Ik ben achttien jaar. Ik ben geboren in Irak, in Koerdistan in Noord-Irak. Ik ben nu vier jaar in België. Ik ben op mijn veertiende uit Irak vertrokken. Veertien, dat is heel erg jong. Soms weet ik veel van mijn land, soms weet ik niets. Ik ben blij dat ik jullie kan helpen, dat ik een verhaal kan maken en veel kan praten, maar soms weet ik het niet. Soms weet ik niets, ook al zit mijn hoofd vol gedachten.

Toen ik klein was en bij mijn ouders woonde, behandelden zij me als een koning. Ik was hun enige kind, een zoon. Dat is belangrijk. Mijn papa was een zakenman. Hij kocht en verkocht wapens. Hij kocht wapens in Koerdistan en verkocht ze in Turkije. Dat is gevaarlijk, maar je bent ook machtig. Je bent als een president van een staat, zo machtig ben je. Op een dag moest mijn papa de bergen over, naar Turkije, naar de grens. Daar is hij op een mijn gelopen. Hij was helemaal aan stukken, hier een arm, daar een been, hij was helemaal kapot. Er waren vier vrienden bij hem. Drie van hen waren ook dood. Eén heeft het overleefd, die mist nu een been.

Alles is toen veranderd. Maar ik was nog wel blij, want mijn mama was er nog. Hij was een goede en knappe man, mijn papa. Ik heb hem gezien in het ziekenhuis, aan stukken. Ik herkende hem niet. Ik ben daar flauwgevallen. Toen ik mijn ogen opendeed, lag ik zelf in een ziekenhuisbed.

Drie dagen later bracht mijn oom me naar zijn huis, waar mijn mama ook was. Na een maand of twee zei ze: 'We gaan terug naar ons eigen huis.' In dat jaar werd mijn mama steeds zieker en zieker. Wellicht van de stress. Zelf was ik ook heel verdrietig, maar niet zoals mama. Zij moest altijd aan mijn papa denken. Het werd steeds erger. Toen heeft ze een ziekte gekregen, aan haar hart. Op een dag was ik in de buurt met mijn vrienden voetbal aan het spelen. Mijn mama was thuis. Ik dacht: ze is wel oké.

Ze lachte, die dag,
ze had eten gekookt.
Ik had haar alleen gelaten.

Toen ik terugkeerde stonden er heel veel mensen rond ons huis. Toen wist ik: of ze is heel erg ziek, of ze is gestorven.

Ik huilde.

Ik vroeg aan mijn oom: 'Wat is er?'
Mijn oom zei: 'Er is niks.'
Ik vroeg het hem nog eens.
Toen zei hij: 'Je mama is gestorven.'

Ik heb haar niet meer gezien. Ze was weggebracht.
Ik heb het lichaam niet meer gegroet.
Ik wilde haar zien, maar het mocht niet.

Dat vind ik erg.

Mijn mama is zonder mijn toestemming begraven.
Ik kan haar nu niet meer uit de grond halen.

Ik ben weer flauwgevallen toen,
en werd weer wakker in het ziekenhuis.

Ik was gek van ellende.
Ik werd snel boos.
Ik was nog zo klein.

Mijn leven was helemaal veranderd. Elke nacht had ik nachtmerries, nu heb ik nog altijd veel nachtmerries. Ik dacht aan hen, mijn mama en mijn papa. Wat is er met mij gebeurd?

Ik vroeg aan mijn God: 'Wat heb je met me gedaan?'
Ik was niet boos op mijn God.
Ik ben nooit boos op mijn God.
Anders bestraft Hij me misschien.
Misschien is Hij kwaad omdat ik nu met jullie praat.

Mijn oom heeft ons huis verkocht. Hij heeft de auto verkocht. Hij heeft ook de wapens van mijn vader verkocht. Ik vertrouwde hem niet, misschien heeft hij alles verkocht en het geld voor zich gehouden. Ik moest bij hem gaan wonen, bij zijn twee vrouwen en zijn twee kinderen. Mijn vorige leven was heel erg verschillend, en nu was het weg.

Mijn oom had werk voor me gevonden, ik mocht niet meer naar school. Hij had een vriend, een mechanicus, in een garage, daar moest ik heen. Ik verdiende vijf dollar per dag. Dat is weinig.

Ik was klein.
Ik had geen plannen, maar ik wilde zijn
zoals elk kind is.
Ik had kleine plannen,
zoals elk kind die heeft,
maar die vijf dollar moest ik afgeven.

Als ik één dollar had uitgegeven, bijvoorbeeld aan snoep, dan sloeg mijn oom me. Ik vroeg hem altijd: 'Waarom beschouwt u me niet als uw zoon? U bent de broer van mijn vader. Waarom houdt u niet van me? Wij zijn van hetzelfde bloed.' Mijn oom zei: 'Ik heb nooit van uw vader gehouden.' Hij was niet zo rijk als mijn papa, mijn oom. Misschien was hij jaloers. Hij kocht nooit kleren voor mij. Ik moest de oude kleren van zijn kinderen dragen. Maar zijn twee vrouwen waren wel heel lief. Zij beschouwden me als hun kind. Maar ze konden niet veel doen. In mijn land hebben vrouwen niets te zeggen. In mijn land is een vrouw helemaal niets.

De vriend van de partner van mijn papa leeft nog. Hij gaf me altijd geld. Ik kon hem niet vertellen hoe slecht mijn oom was. Ik wilde het niet nog erger maken. Ik had niemand anders meer. Als mijn oom me had buitengezet was ik alles kwijt geweest, dan was ik verloren geweest. Ik was niet gelukkig, maar het was beter dan op straat te moeten leven. Soms moest ik op straat slapen. Als ik vijf minuten te laat kwam, mocht ik niet meer naar binnen. Ik begrijp het nog altijd niet. Ik was zo lief voor hem. Ik was eerst een koning, bij mijn ouders. En ineens was het voorbij.

Ik was gek van verdriet.
Ik denk nog steeds dat ik gek ben.
Mijn hoofd zit vol problemen.

Ik word snel boos.
Ik slaap niet. Meestal slaap ik niet meer
dan vier uur per nacht. Dan sta ik op.

Ik luister naar muziek.
Ik denk.
Ik rook.

Ik mocht alleen maar werken van mijn oom. De vriend van de partner van mijn papa kwam soms naar onze garage. Hij zag dat ik me niet goed voelde. 'Wat is er?' vroeg hij. 'Heb je geld nodig? Zullen we iets eten?' Ik was moe. Ik werkte de hele dag lang. Ik loog tegen de vriend van mijn papa. Ik zei: 'Er is niets.'

Ik vertrouwde niemand.

Op een dag zei hij: ‘Komaan. Zeg wat je op je hart hebt. Ik zal je helpen.’ Ik heb alles verteld en hij moest huilen. Toen vertrouwde ik hem. Irakese mannen huilen nooit wanneer iemand anders het kan zien. Ook ik huil nu niet. Ik zal huilen wanneer jullie weer weg zijn, wanneer ik alleen ben.

De vriend van de partner van mijn papa zei: ‘Ik zal je helpen.’ Ik vind het bijzonder dat een man een kind wil helpen. Hij zei: ‘Hier kan ik niets doen. Misschien wordt je oom boos. Ik zal je naar Europa sturen.’ Ik had al van Europa gehoord, maar ik wist niet wat dat was. Ik dacht dat Europa één land was, net als Amerika.

Heel even was ik blij.
Ik kon weg van mijn oom.

Eén maand later komt de vriend van de partner van mijn papa met een vriend van hem naar mij toe. Die man werkte in Koerdistan, tussen Turkije en Irak. Hij reed met een vrachtwagen. Op een nacht ben ik in alle stilte vertrokken. Ik heb mijn oom niet meer teruggezien. Ik wil hem ook niet meer terugzien. Als ik hem zou terugzien is het hij of ik. Ik ben één nacht bij de vriend van de vriend van mijn vader gebleven. De dag daarop vertrokken we met de vrachtwagen naar Istanbul. Het was een fijne rit. De man praatte met me. Ik was nog steeds bang voor mijn oom.

Ik heb drie dagen in Istanbul geslapen, in een hotel. Het is een mooie stad. Daar heeft die man me doorgegeven aan een Turkse man, om me naar Europa te brengen, met een andere vrachtwagen. Die Turkse man sprak geen Koerdisch of Arabisch. Alleen Turks. Dat was moeilijk. Hij was ook niet zo lief. Maar ik moest op hem vertrouwen. Ik wilde weg.

Zeven dagen heb ik in de laadbak tussen de vracht gezeten, samen met drie andere mannen die ook op weg waren naar Europa. We zaten tussen de kartonnen dozen, wat er in die dozen zat weet ik niet. Er was geen plaats, maar we moesten ons verstoppen. We kregen geen eten. Alleen chocolade, koekjes, cola en water. Dat is alles. Ik moest elke dag braken. Alleen maar koekjes en chocolade. Maar we moesten eten om te leven.

Die drie andere mannen waren volwassenen. Twee van hen waren Koerdisch. Ze waren niet heel erg lief. We konden niet naar het toilet. We hadden van de chauffeur een grote bidon gekregen om in te plassen. Op die zeven dagen heb ik misschien één dag geslapen.

Ik had stress. Ik was gek
van de angst. Ik was veertien, met drie
volwassen mannen die niet lief
voor me waren. Ik was bang
voor mijn oom
en ik was bang voor die mannen.

Ik wist niet wat België was. Ik dacht: België is Europa, net als Amerika. We kenden wel Frankrijk. Maar België kenden we niet, het land is zo klein. De vriend van mijn papa had gezegd: 'Breng hem naar een goed land.' Misschien kende die Turkse chauffeur België, misschien had hij er nog gewoond of gewerkt.

Ik ben blij dat ik in België ben.
Het is een goed land.
In België is het veilig.

Ze hebben me om drie uur 's nachts in Brussel uit de vrachtwagen gezet. Er was niemand op straat. Ik moest wachten tot rond een uur of zes, tot er mensen waren. Ik weet niet meer op welke plek dat was. Dat vind ik wel jammer. Ik zou nog weleens de plek willen zien waar ik uit die vrachtwagen gezet ben. Het was een drukke straat met auto's. Ik zat in een hoekje, ik had het koud.

Het was december.

Tot zes uur 's ochtends zat ik daar. Ik wilde naar de politie. Ik vond hen niet. Ik wilde het vragen aan de mensen op straat, maar de mensen begrepen me niet. Ik hield mijn vuisten gekruist, alsof ze in handboeien zaten en ik zei: 'Politie. Politie.' Een oude Marokkaanse man heeft me ten slotte de weg gewezen. 'Die straat in,' zei hij.

Bij de politie moest ik mijn vingerafdrukken laten maken. Ik moest mijn naam opgeven. Er was één iemand die Arabisch sprak, dat ik een heel klein beetje ken. Ze hebben me toen naar Steenokkerzeel gebracht, naar een open opvangcentrum voor minderjarige niet-begeleide vluchtelingen. Ik was opgelucht na zeven dagen niet eten, slapen of douchen. Ik heb me daar gedoucht en ik heb gegeten.

Ik moest één maand in Steenokkerzeel blijven, maar ik voelde me er niet goed. Er waren veel talen en veel mensen en heel veel nationaliteiten. Ik wist niet wat Afghanen waren, of wat Marokkanen waren. Nu praat ik heel goed Afghaans, het verschilt van Koerdisch zoals Duits van Nederlands verschilt. Maar toen wist ik daar niets van en ik voelde me niet goed. Ik ben hier niet veilig, dacht ik. Ik was het wel, want er waren veel begeleiders. Maar ik voelde me niet veilig. Ik zat in een totaal ander land. Ik kon niet slapen.

De begeleiders wilden met me praten.
Ze zeiden: 'Zeg iets in jouw taal.'

Ik zweeg.

Na een paar weken begon ik te ontspannen en praatte ik wel. Ik bleef slaapproblemen hebben, met nachtmerries. Dan zag ik mijn papa weer, in stukken. Dat gaat nooit meer weg, denk ik. Als ik slaap doe ik nooit het licht uit. In Steenokkerzeel moest het licht uit en ik kon er niets aan doen. Gelukkig waren er twee andere mensen in mijn kamer.

Ik droom altijd over vroeger.
Ik word er gek van.
Ik kan er niet meer tegen.
Ik heb mezelf al vaak gesneden.
Kijk maar naar mijn armen, vol littekens.
Iemand anders had misschien allang
zelfmoord gepleegd.

Van Steenokkerzeel mocht ik toen naar Lanaken. Het was er groot, met veel mensen, en het was er veel beter. Er waren veel mensen uit mijn land. Meestal voelde ik me nog altijd niet goed. Maar het ging elke dag iets beter.

Ik heb vier jaar geen papieren gehad. Ik moest allerlei documenten kunnen tonen. Ik heb al genoeg problemen, in België kreeg ik er nog een hoop bovenop. Ik dacht: België zal goed voor me zijn. Maar dat was niet zo. Ik wil niet zonder papieren zijn. De mensen zeiden: 'Als je geen papieren hebt, ben je illegaal.' Ik vroeg: 'Waarom krijg ik geen papieren?' De begeleider zei: 'Je krijgt ze wel, maar je moet wachten.'

Negen maanden heb ik daar in Lanaken gewacht. Ik heb er vrienden gemaakt. Ik voelde me niet goed, maar alles was beter dan mijn oom. Ik mocht naar school. Ik werd niet meer geslagen. Ik kreeg een voogd. Die man was niet lief voor mij. Hij vroeg: 'Wil je naar een pleegfamilie?' Ik weigerde. Ik zei: 'Ik zal die mensen nooit als mijn mama of papa beschouwen.'

Na Lanaken mocht ik naar Vosselaar, een sociaal tehuis met andere jongens en meisjes. Daar was het wel goed. Maar ik kon niet koken of mijn kleren wassen. Dat had ik thuis nooit moeten doen. Nu kan ik dat wel. Ik ben twee jaar in Vosselaar geweest.

Het lukte niet.
Ik ging niet meer naar school.
Ik sneed mezelf.
Ik nam pilletjes.
Ik dronk.

Ik was helemaal veranderd.

Vroeger dronk ik niet.
Ik rookte niet.
Ik ging het slechte pad op.

Dat is allemaal in Vosselaar gebeurd. De begeleiders zeiden: 'Het is niet goed voor jou hier. Je moet naar een instelling, naar Minor-Ndako.' Ik dacht dat ik weer naar Steenokkerzeel moest. Dat wilde ik niet. Ik kende Minor-Ndako nog niet. Mijn voogd zei: 'Je moet weg.' Mijn voogd is niet goed voor mij. Hij zei ook altijd: 'Als je achttien bent, moet je hier weg. Weer naar Irak.' 'Dat wordt mijn dood,' zei ik.

Ze zeggen ook altijd: 'Je bent van Noord-
Irak? Daar zijn geen problemen.'
Daar word ik radeloos van
en gek.

Ik ging naar een psychologe, in Antwerpen. Ik praatte daar. Ik voelde me niet goed, maar ze begreep me. Ik voel me beter als ik met iemand kan praten.

Ze helpt me nog steeds. Maar ik had meer hulp nodig, en die was er niet. Mijn voogd bleef maar zeggen: 'Er zijn geen papieren. Je moet weg. Straks moet je terug.' Mijn begeleiders waren wel goed voor me. Ze zeiden: 'Je leven komt goed.' Ze geloofden in me.

> Ik geloofde niet in mezelf, ik geloof
> nog altijd niet in mezelf.

Eerst wilde ik niet naar Minor-Ndako. maar mijn voogd dreigde me: 'Anders kom je op straat terecht.' Ook mijn begeleiders zetten me onder druk. Als ik niet wegging moest ik mijn sleutels afgeven. Dus kwam ik hierheen. Ik woon hier nu zes, zeven maanden. Hier heb ik veel geleerd. Ik was altijd boos, maar alles is veranderd. Ik ga elke dag naar school. Meestal op tijd. De slaapproblemen zijn een beetje verbeterd. De stress is er wel nog. Maar er zijn manieren om te praten. Ze praten hier goed met mij. Ze maken me blij, nooit bang. Ik ben een beetje aan het genezen. Ik ben goed bezig nu. Ik heb voor zes maanden een witte kaart gekregen. Ik moet die om de zes maanden laten verlengen. Ik ben nog altijd bang dat ze me gaan terugsturen.

Ik ga naar school.
Ik werk.
Ik ben geen dief,
geen vechtjas. Iedereen
vindt mij oké.
Ik moet mens blijven. Waarom
mag ik hier dan niet voor altijd blijven?

Ik ben vluchteling.
In België.
Laat me hier mijn leven leven.
Ik red me wel.
Geef me asjeblieft de juiste papieren.
Dan kan mijn angst verdwijnen.

Ik spreek nu goed Nederlands.
Wat heb ik aan jullie taal
als ik naar een ander land gestuurd word?

België is mijn papa,
mijn mama,
mijn alles.

Ik heb veel plannen. Zoals een oude man
heb ik veel plannen, mijn hoofd
zit vol.
Ik wil goed werk.
Ik wil een mooi huis.
Ik wil een mooie auto.
Ik wil een vrouw.
Ik wil kindjes.
Ik wil een goed gezin.
Dan kan ik mama en papa vergeten.

Maar ik kan mijn toekomst niet zien,
zonder papieren.

Ze zeggen: 'Je moet een Irakees paspoort hebben.' Maar hoe moet ik dat doen? Ik ben drie keer naar de Irakese ambassade geweest. Ik krijg geen paspoort. Ik heb wel een identiteitskaart en ik heb ook de identiteitskaart van mijn papa. Ze doen moeilijk. Als je geld hebt, kan alles. Maar ik heb geen geld. En ik wil niet corrupt zijn. Ik ben een Irakees. Ik ben Koerd. Waarom doen ze dan zo moeilijk? Als ik een Irakees paspoort zou hebben, is er meer kans dat ik kan blijven. Ik spreek jullie taal. Mijn cultuur is helemaal veranderd. Ik heb hier nu veel vrienden. Ik wil die mensen niet kwijt. Ik heb ook een vriendin, een Koerdische uit Turkije.

Als ik geen problemen had in Irak, waarom zou ik dan hierheen gekomen zijn? Waarom zou ik liegen? Toon me de kaart van Irak, van Noord-Koerdistan, en ik kan je over elke stad iets vertellen. In Antwerpen was iemand die op vakantie ging naar Irak. Ik heb die man het adres van mijn oom gegeven. Ik zei: 'Je moet niet mijn oom hebben, maar de vrouwen, want die zijn lief. Vraag hun om foto's.' Ik heb een foto van mijn papa gekregen, en ook een foto van mezelf, toen ik nog klein was. Toen ik nog koning was.

Nu ben ik niemand.

Ik begrijp nog altijd niets.
Ik ben hier nu vier jaar en ik begrijp
nog altijd niets.
Ik ben toch een mens? Niemand weet
dat ik een mens ben.

In Noord-Irak is het goed leven.
Als je familie hebt.
Ik was de koning van mijn familie,
in Noord-Irak.

Nu ben ik een hond.

Mijn godsdienst is erg belangrijk voor mij.
Ik bid vijf keer per dag.
Ik lees de Koran.
Ik drink niet meer.
Ik ben ook gestopt met seks.

Ik heb vroeger veel meisjes gehad.
Bijna tien.
Ik ben nu zes, zeven maanden gestopt.
Ik bid.
Dan mag je niet vrijen en drinken.
Mijn vriendin vindt dat goed.
Zij wil het ook niet, tot we trouwen.

Ik vraag Allah mijn God altijd om hulp.
Hij helpt me altijd.
Hij brengt rust.

Als ik bid ben ik gelukkig.

Als ik jonge mensen zie,
met hun ouders, met hun mama,
doet dat pijn.

Ik kan het moeilijk aanvaarden.

Ik wil bij mama wonen, met haar eten,
haar knuffelen. Bij haar in slaap vallen.
Ik wil nog één keer mama
tegen haar kunnen zeggen.

Dat zal nooit gebeuren.
Ook niet in mijn dromen 's nachts.

Ik wil dat iedereen een goed leven heeft.
Ik weet wat pijn is.

Ik hoop dat mijn verhaal zal helpen.
Ik ben blij dat ik kan praten. In het begin
ben ik altijd wat wantrouwig, dat weet ik.

Ik ben wel bang voor de nacht die komt.
Nu ik zoveel gezegd heb, zal ik veel moeten denken,

maar ik wil sterk zijn.

Brazilië, het geboorteland van Isabella, is het grootste land van Zuid-Amerika. Sinds de zeventiende eeuw behoorde het gebied tot het Portugese koloniale rijk. In 1825 werd het land onafhankelijk, eerst als een monarchie, later als een republiek – die vooral door kapitaalkrachtige plantagehouders en grootgrondbezitters werd geleid. In de jaren dertig van de vorige eeuw ging het land een lange periode in van militaire dictaturen en moeizame democratisering; de sociale en economische ongelijkheid bleef intussen groot. Op dit ogenblik is het land een democratie, geleid door een verkozen president, maar Brazilië wordt nog steeds getekend door grote verschillen tussen de vele armen en de rijke elite. In ongeveer alle steden heeft de criminaliteit een georganiseerd karakter gekregen die vaak trekken heeft van een stadsguerrilla. Zo ontstond in São Paulo, de stad waar Isabella opgroeide, begin jaren negentig van de vorige eeuw de Primeiro Comando da Capital, een criminele organisatie die intussen in alle Braziliaanse steden actief is. De wijdvertakte bende pleegt met regelmaat gewelddaden tegen politie en justitie, of tegen openbare nutsvoorzieningen. Uit Isabella's verhaal blijkt dat haar verloofde en mogelijk ook haar vader bij de bendeactiviteiten betrokken waren en dat zij wellicht het slachtoffer werden van een afrekening.

Als ik niet meer kon lachen, wat dan?

Het verhaal van Isabella

Ik hoop dat de mensen als ze mijn verhaal lezen, begrijpen hoeveel ze hebben, de mensen van hier. Ik kan niet begrijpen dat mensen hier zelfmoord plegen. Dat komt voor, ook bij jonge mensen. Ik begrijp dat niet. Ik zie soms mensen die zo oud zijn als ik, jonge mensen hier. Die hebben lol in het leven. Die kunnen van alles doen. Maar ik vind het ook fantastisch een gezin te hebben, al ben ik zelf nog zo jong. Nee, ik begrijp niet dat je het hier slecht kunt hebben.

Daarom wil ik met u praten.

Ik ben geboren in São Paulo, ik ben nu twintig jaar. Ik was zestien toen ik hier terechtkwam. Brazilië is soms een goed land om te wonen, maar soms ook slecht. Het goede is dat Brazilië een warm land is. Ik leefde er met mijn familie, mijn vader en mijn moeder, met mijn vriend en mijn oudste dochter Emily.

Ik was enig kind. Ik had een normale kindertijd, al heb ik zelf niet zoveel gespeeld omdat ik zo jong al een kind kreeg. Ik was veertien toen ik moeder werd. Het was een ongelukje. In Brazilië zijn het meestal meisjes uit de favela, de arme buitenwijken, die jong zwanger worden. Als het met meisjes gebeurt die rijk zijn wordt er meestal iets aan gedaan, want zij hebben geld. Maar als je niet rijk bent, dan heb je de keuze: of je laat het kind weghalen, of je koopt eten. Abortus kost veel geld, en het is illegaal. Er zijn zelfs illegale klinieken voor abortus, maar ook die zijn heel erg duur. Daarom zijn er zo veel kinderen.

We woonden in de favela. Mijn moeder deed het huishouden, mijn vader werkte in de binnenstad. Hij zat als conciërge op de benedenverdieping van een flatgebouw. Meestal werkte hij 's nachts. Hij bewaakte de huizen waar de rijke mensen wonen. Mijn vader kreeg soms speelgoed van die rijke mensen, dat bracht hij dan voor me mee. We waren een gewoon gelukkig gezin, iets wat ik eigenlijk niet zo goed besefte. Sinds ik in België ben en andere gezinnen zie, die doodgewoon gelukkig zijn, besef ik dat wel. Ik realiseerde me niet hoe belangrijk mijn familie voor me was. Het was een gewoon leven, vond ik. We gingen nooit op vakantie, we bleven meestal thuis.

Hier in België is het leven een beetje rustiger. Je ziet hier niet zo veel criminaliteit. Bij ons in de favela kon het gebeuren dat je de hele nacht schoten hoorde, de hele tijd pang-pang-pang. Dan kon je niet naar buiten. Ik heb heel veel mensen dood op straat zien liggen. Dat was normaal. Als de bende iemand kwam doodschieten, gingen wij kinderen tijdens het spelen soms naar de dode man kijken, en dan speelden we weer verder. Zo normaal vonden we dat. Soms bleven de lichamen lang liggen. Normaal moest de politie die lichamen ophalen, maar de agenten kwamen niet altijd even snel. Ik heb eens een lichaam gezien dat meer dan tien uur bleef liggen. De mensen in de favela gooiden dan een deken over het lichaam en het leven ging door. Dat moest wel.

In Brazilië had ik niet verder gestudeerd. Niet verder dan de basisschool. Ik had geen speciale dromen. Ik liep school in de favela. Mijn leven speelde zich volledig in de buitenwijk af. We kwamen weinig of nooit in de binnenstad. Het waren gescheiden werelden. In de favela is alles. Het is een stad in de stad. Ik heb bijna niks van mijn land gezien. Ik had weinig toekomstkansen, de school in de favela was op zich wel goed, maar het probleem is dat alles er altijd kapotgemaakt wordt.

Ik was een klein meisje en ik zag
altijd alles weer kapotgaan.

De jongens maakten
altijd alles kapot.

Je moet als kind wel in de criminaliteit terechtkomen. De goede leraren durven niet in de favela te gaan lesgeven, want als ze een leerling berispen, kan het gebeuren dat die jongen hun iets aandoet. In Brazilië dragen veel kinderen op hun tiende al een wapen. Er wordt niet op wapens gecontroleerd in die scholen. Het gebeurt vaak dat een meisje sterft aan de deur van de school. Neergeschoten door een ander kind.

Mijn vriend heb ik in de wijk leren kennen.

Hij was erg mooi. Dat is het probleem
met mannen, dat ze soms te mooi zijn.

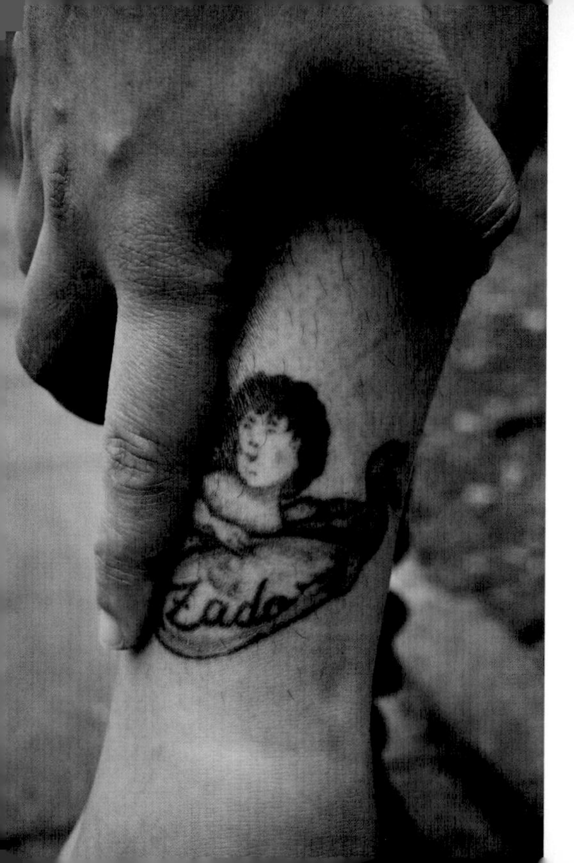

Je ziet wel of een man vanbuiten mooi is,
maar je ziet de binnenkant niet.

Mijn vriend was wel goed,
alleen die criminaliteit niet.

Hij was lid van een bende en hij werkte met de bendeleden samen. Het was een van de machtigste bendes in São Paulo, een heel grote organisatie: de Primeiro Comando da Capital, de sterkste en grootste gangstergroep van São Paulo. Onder hen werken de kleinere bendes. Heel veel. Als je bij de sterkste bende mag werken, dan ben je een man. Ze hielden zich bezig met de handel in drugs en in wapens. Iedereen was bang voor hen. Soms vermoordden ze ook politieagenten. In de favela hadden de mensen niet zo veel problemen met die bende. Alleen als de bende een probleem had met jou liep je gevaar. Maar meestal waren ze goed voor de mensen in de favela. Ze hielpen mensen in nood met geld en met eten.

Als je wilt meedoen met de bendes, dan moet je een wapen hebben. Vaders hebben weinig te zeggen over hun kinderen, meisjes zijn ook niet echt in tel. Die worden meestal jong moeder. Als je een man hebt die voor de bendes werkt, heb je als meisje meestal een goed leven. Maar je kunt buiten de favela ook een slechte man treffen, die je slaat of erger. Als je in de favela woont, weet je niet beter.

Heel veel mensen hebben soms de kans om weg te gaan, maar ze doen het niet. Ze denken dat het goed is in de favela. Heel veel mensen zijn bang, ze zitten in de greep van de bendes. Het is anders als je werk hebt buiten de favela. De bendes zijn machtig. Hun misdaden worden niet bestraft. Als ze iemand vermoorden, dan weet iedereen wie de daders zijn, maar iedereen zwijgt. De favela zit vol geheimen. Het is een leven vol stress, maar men vindt het normaal. We leren er zwijgen. Je moet horen, zien en zwijgen. Het is iedereen voor zich. De politie laat zich niet zien als er doden vallen, die is even crimineel.

De politie is ook een bende, maar een bende met een diploma. Ze krijgen geld van de drugshandelaren om een oogje dicht te knijpen. In de favela zelf worden weinig drugs gebruikt, het gaat om de handel. De meeste mensen die drugs komen kopen, leven in de rijke wijken.

Het was geen leven.
Het was overleven. Elke dag
was moeilijk.

Ik ben niet zomaar naar België gekomen.
Soms kan ik vergeten wat er gebeurd is,
soms komt het allemaal terug.

De ene keer
voel ik me sterker
dan de andere.

Op een dag zeiden de andere bendeleden dat mijn vriend iets van hen gestolen had. Mijn moeder was toen al een tijdje teruggekeerd naar haar geboortestad. Er was steeds meer criminaliteit waar wij woonden en mijn moeder voelde zich niet veilig meer. Ikzelf ben bij mijn vader gebleven, want ik was verliefd geworden op de jongen die mijn vriend werd. Hij en ik hadden al besloten dat we onze dochter bij mijn moeder zouden onderbrengen. Het was voor Emily goed leven bij mijn moeder. Ik kreeg geregeld brieven waarin mijn moeder me op de hoogte hield. Maar ik heb mijn dochter en mijn moeder niet meer teruggezien.

Ik was thuis toen het gebeurde,
in de favela.

Ik heb het niet zien gebeuren.
maar ik heb het wel gehoord.

Ik hoorde een auto,
en dan schoten.

Ik ben naar buiten gelopen
en toen heb ik het gezien.

Mijn vriend was dood.
Mijn vader leefde nog.
Hij is gestorven in het ziekenhuis.

Ik was bij hem.

Een buurvrouw van ons had een huis aan zee, nabij de haven. De haven was vlak bij onze favela. Het was er altijd druk, er werkten veel mannen in de haven en met een paar van die mannen kon ik mee, met een boot. Ik vertelde wat er gebeurd was en ze zeiden dat ze me zouden meenemen in hun boot.

Ik heb een maand in die boot gezeten. Mensen heb ik amper gezien. Ik moest beneden blijven, in het ruim. Altijd. Ik had daar een bedje en een klein toilet. Eten kreeg ik van die mannen. Ik was bang tijdens die reis. Die mannen waren niet goed voor mij.

Ik had niets bij me.
Geen geld, geen papieren.
Niets.

Ik wist niet waar ik was, ik wist niet
waar ik heen ging.

Ze zeiden niets tegen me.

Ik wilde weg uit de favela. Ik dacht dat de bende ook mij wilde doden. Ze hadden mijn vader vermoord. Toen het gebeurd was, en die buurvrouw mijn vader en mij naar het ziekenhuis had laten brengen, zei ze me dat de bende in de buurt rondvroeg waar ik was. Ik kon niet nadenken, ik was doodsbang. Misschien zochten ze me om voor me te zorgen, misschien om me dood te maken, ik weet het niet. Maar als ik geweten had wat ik nu weet, zou ik niet zo snel zijn weggegaan. Ik ben in paniek gevlucht. Naar mijn moeder kon ik niet, want die bende werkt ook in Rio en andere steden.

Ik wist niet waarheen ik moest gaan.
Daarom ben ik naar België gekomen.

Ik was bang.
Ik wist niet dat ik in België
zou terechtkomen.
Dat wist ik niet.

Je bent zo kwetsbaar op zo'n boot,
als jong meisje,
met allemaal mannen.

Je bent zo kwetsbaar.

Ik kan er niet over praten,
het is te erg, ik was daar

de enige vrouw.

Ik ben in Brussel terechtgekomen. Ik wist niet dat ik in Brussel was. Het was donker. De mannen zeiden: 'Je moet naar Brussel-Noord. Daar vangen ze asielzoekers op.' Ze wisten dat ik minderjarig was, en dat ik hulp en eten zou krijgen, en een plaats om te slapen. Ik denk dat ik niet de eerste was die met die mannen meekwam in die boot. En ik denk ook niet dat ik de laatste was. Ik heb daar vreselijk lang staan wachten op een auto.

Ik stond daar, bevend
in het donker. Nee,

ik weet niet meer
waar dat was, en ik weet niet meer

of het winter
was of zomer,

toen ik hier aankwam.

Voor mij was het winter, maar later zeiden ze me dat het hartje zomer was. Ik had het vreselijk koud. En dan moest de echte winter nog komen. De eerste keer sneeuw zien, dat was iets wonderlijks, maar nu hou ik er niet meer van wanneer het koud is en de sneeuw blijft liggen.

Als je geen familie hebt,
zit je 's winters vaak alleen.

Ik was zwanger op die boot. Mijn kind mag straks in september hier naar school. Ik was zwanger van mijn vriend in Brazilië. Mijn oudste meisje hier in België is zijn kind. Pas hier in België heb ik geweten dat ik zwanger was van hem. Toen ik opgevangen werd moesten er veel tests gedaan worden, ook een bloedproef. Zo hebben ze gezien dat ik zwanger was. Dat was nog een probleem erbij voor mij.

In het begin had ik het moeilijk in België. Ik kende de talen niet. Ik wilde praten, maar ik kon het niet. Nu gaat het goed, nu gaat het beter. Ik heb veel gehad aan Minor-Ndako, tot ik achttien werd. Sinds mijn achttiende heb ik een consulent die me moet begeleiden tot ik eenentwintig ben, en ik heb ook een nieuwe vriend leren kennen.

Ik heb een nieuw gezin,
het gaat veel beter dan vroeger,
veel beter.

Ik voel me veilig.

Ik heb hier veel geleerd. In Brazilië steekt het niet zo nauw wanneer en wat je je kinderen te eten geeft. Hier moet je kiezen wat je wilt dat je kinderen eten, wat goed voor hen is. En je moet ervoor zorgen dat ze op tijd te eten krijgen en op tijd gaan slapen. En ik heb ook geleerd met mijn kinderen te praten. In Brazilië krijgen kinderen meer slaag. Vaders, moeders, ooms en tantes praten niet met kinderen. Een kind is een kind. Ik heb geleerd vriendschap te delen met mijn kinderen. Praten is zo belangrijk. Mijn kinderen moeten kind kunnen zijn. Ik kan op zoek gaan naar een school, voor mezelf en voor mijn kinderen. Ik wil graag met computers leren werken. Ik wil graag nog wat meer Nederlands leren, en later wil ik uit werken gaan. Het Nederlands is een moeilijke taal. Soms begrijp ik de mensen niet, en soms begrijpen zij mij niet. Soms is dat omdat ze me niet willen begrijpen. Ze denken dat ik uit het buitenland kom en dan willen ze niet met me praten.

Ze horen me niet echt.
Dat voel ik sterk.

Het gebeurt niet elke dag, maar soms wel.
Dan heb ik het gevoel
dat ik voor gesloten deuren sta.

Voor de rest wil ik niet zoveel.
Als je te veel wilt, dan word je daar soms
een beetje gek van.

Ik ga hier naar de kerk, de protestantse kerk. Het geeft rust, ik wil rustig zijn, ik wil geen paniek meer. Vroeger zong ik daar, maar nu niet meer. Ik heb nu een vriend, ik woon met hem samen, en dat mag niet van de kerk. Je moet eerst trouwen. Je mag niet met een man vrijen voor je getrouwd bent. Ik vrij wel met mijn vriend. Daarom zing ik niet meer. Als ik ooit trouw, mag het weer wel. Dat zegt de pastor. Ik ga wel nog met mijn kerk met vakantie, naar Mechelen, in een bungalow, met andere vrouwen. Daar praten we over de Bijbel, en over onze mannen en de kinderen. Als vrouwen samen zijn, dan praten ze over de mannen en de kinderen.

Ik heb ook een tijdje in een kerk gewoond. In heel veel tehuizen was geen plaats. Het mag normaal niet, in een kerk wonen, maar misschien was ik een beetje een speciaal geval. Ik mocht in de kelder van die kerk wonen. Erg fijn was dat niet. Zo heb ik twee maanden doorgebracht. Ik kon er niet koken en me ook niet wassen. Ik kreeg eten van de vrouw van de pastor, ik kon me in hun huis gaan wassen. De meeste mensen van de kerkgemeenschap wisten niet dat ik in de kelder van hun kerkgebouw woonde. Alleen de pastor en zijn familie wisten ervan. Ik ben hier ook gedoopt. In een zwembad. Normaal moet dat in een rivier, maar in België kan dat niet.

Ik ben gelovig. Jazeker.
God geeft mij reden.

Hij maakt me sterk.
Omdat ik in God geloof weet ik
dat het nog beter zal worden.

God is alles voor mij.

Ik zou wel willen trouwen, maar ik wacht nog op mijn papieren. Zonder kun je moeilijk vooruit. Ik ben nog niet begonnen met de regularisatie. Ze zeggen me dat het nu toch niet zal lukken omdat ik nog geen vijf jaar in België ben en mijn kinderen gaan nog niet naar school. Mijn vriend is hier wel al legaal. Hij is ook een vluchteling. Hij komt uit Somalië. We wonen samen. Mijn jongste kind is van hem en mij. We wonen nu in Antwerpen. Een mooie flat, wel een beetje krap, maar het is er goed. We hebben maar één slaapkamer voor ons vieren. Dat lukt wel, het moet. Mijn vriend heeft werk, hij is huisschilder. Ik heb veel aan hem. Ik heb hem alles verteld wat me overkomen is. Dat helpt heel veel.

Ik wil ooit naar mijn land terugkeren. Ik wil mijn kind zoeken en mijn mama. Ik weet in welke stad ze wonen, maar niet precies waar. Ik heb niets meer van ze gehoord. De laatste keer dat ik hen zag was toen ze naar de stad van mijn moeder vertrokken. Mijn vader moest nog een paar maanden werken, daarna zouden hij en ik bij mijn moeder en mijn kind gaan, in die andere stad. Mijn vader zou bij mijn moeder gaan wonen, ik zou op bezoek gaan, want ik wilde bij mijn vriend blijven wonen. Hij was een goede man, mijn vriend, alleen zijn leven in de criminaliteit was slecht.

Het leven hier is moeilijk
zonder mijn mama en mijn dochter
en zonder papieren.

Ik heb veel meegemaakt, ik ben nog jong,
maar ik heb al veel meegemaakt.

En toch lach ik graag,
ik maak graag plezier.

Als ik niet meer kon lachen,
wat dan? Ik wil blijven lachen.

Nu ga ik stoppen met praten.

Ik denk dat dit genoeg is.

Steenokkerzeel

Het Observatie- en Oriëntatiecentrum te Steenokkerzeel bij Brussel is een van de twee instellingen van de Belgische overheid waar minderjarige vluchtelingen in ons land een eerste opvang krijgen. Het centrum opende in 2005 en er kunnen vijftig personen verblijven. Hun verblijf duurt meestal twee weken tot een maand. In die periode bekijken de begeleiders welke verdere opvangmogelijkheden voor de jongere in kwestie aangewezen zijn. Lieve kreeg de toestemming in het centrum foto's te nemen. Vrijwel alle jongeren die wij ontmoetten hebben een tijdlang in Steenokkerzeel verbleven, of in het andere opvangcentrum van de overheid.

UCHT

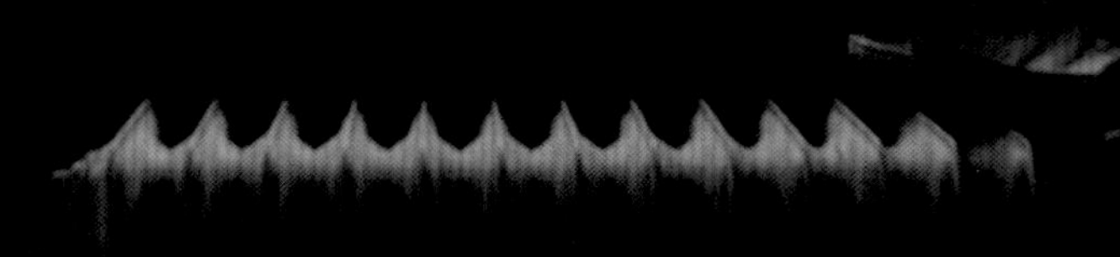

export
Vlaanderen

Jayar Kihinar

Quand tu parles de tecis y'a délinquance qui va avec

Immigration, shit, échec scolaire y va avec

Accouchement avant l'âge de la puberté y va avec

Séparations, veuves avant le mariage y va avec

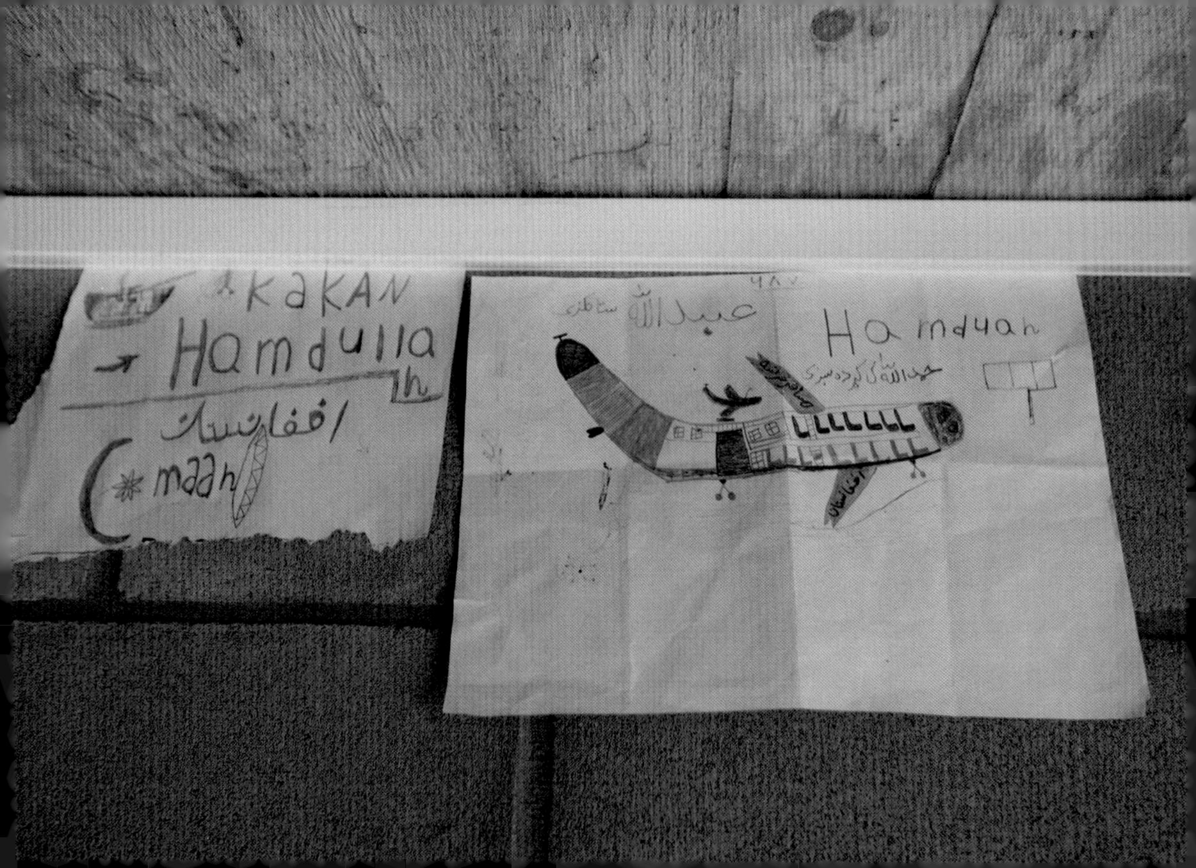
KaKAN
Hamdullah
افغانستان
maan
عبدالله

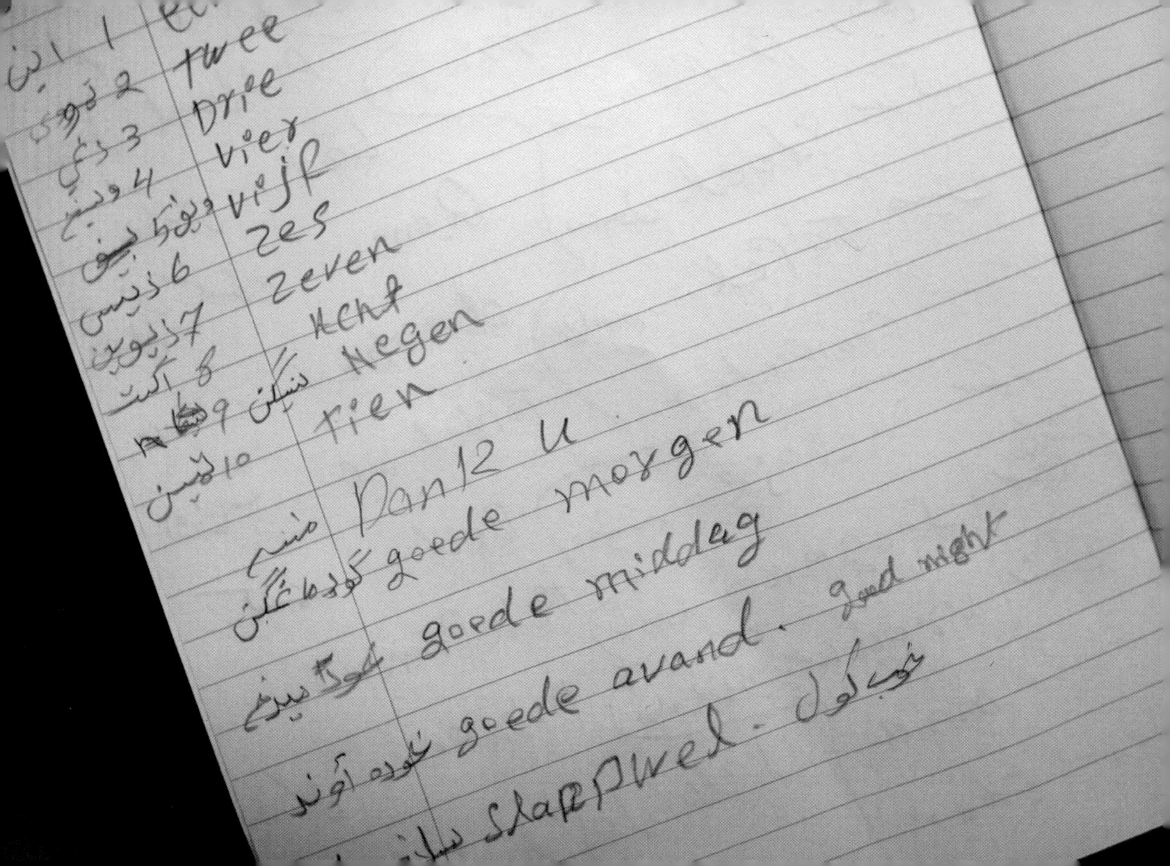
2 twee
3 Drie
4 vier
5 vijf
6 zes
7 zeven
8 Acht
9 Negen
10 tien
Dank u
goede morgen
goede middag
goede avand.
good night
Slaap wel.

Nieuw, Robijn Sensation Passiebloem
Een feest van geuren uit
Robijn
ik

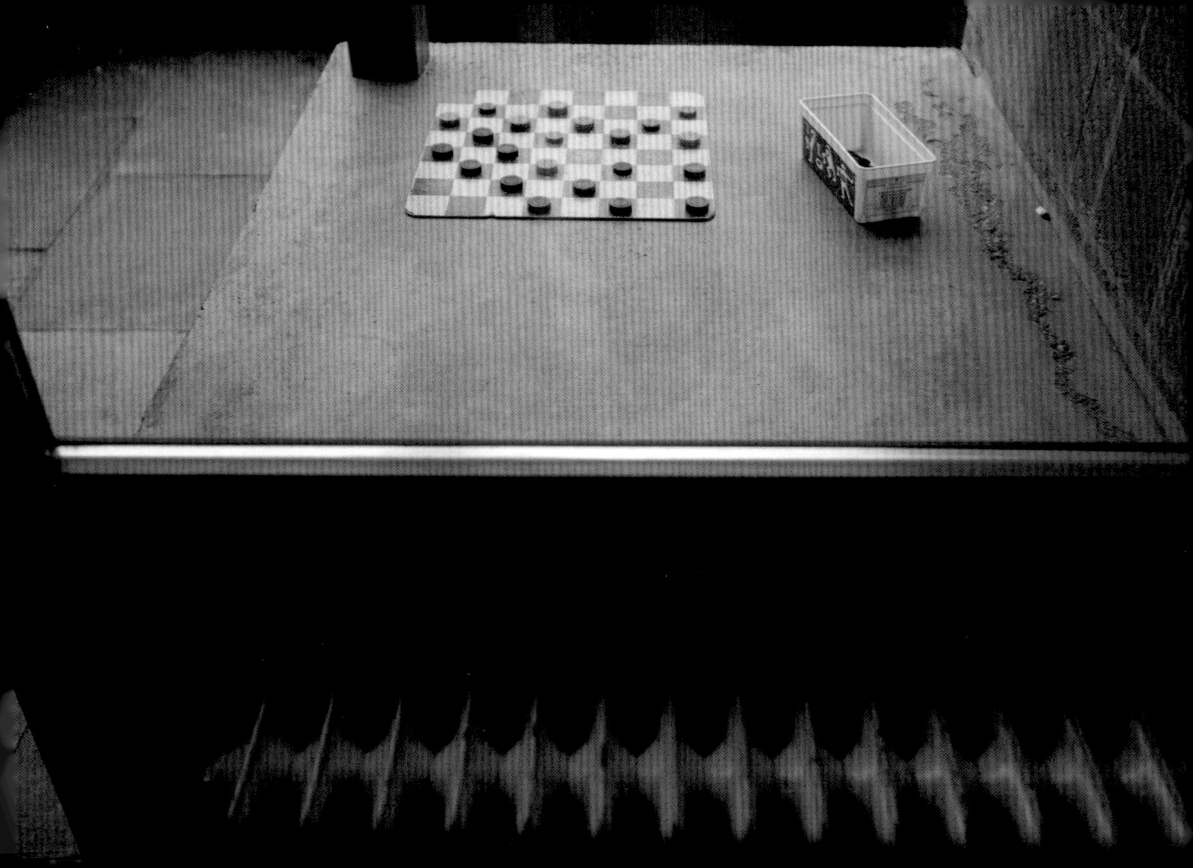

الله

CENTRE D'ACCUEI

Net als de zusjes Gyselinde, Rana en Marina bracht Vinny zijn kinderjaren door in **Angola**. Niet in de hoofdstad, maar op het platteland. Hij moet er een eenvoudig leven geleid hebben. Hoewel het land rijk is aan bodemschatten als diamant en petroleum, hebben de ongeveer veertig jaar durende burgerconflicten de economische en sociale structuren zwaar aangetast en leeft de Angolese bevolking, ook met de sterke economische opleving van de laatste jaren, in armoede. Vinny weet niet waarom hij met zijn moeder en zijn zusje naar België is gekomen. Zijn verhaal laat in elk geval vermoeden dat er mensensmokkel in het spel was. Ook de verdwijning van zijn moeder en zijn zusje, kort na hun aankomst, doet dit vermoeden. Vinny is nog steeds door de gebeurtenissen aangegrepen, de onzekerheid over het lot van zijn naaste verwanten weegt psychisch bijzonder zwaar.

Ik wil zonen die mijn naam dragen

Het verhaal van Vinny

Waar gaat uw boek over? Ik wil alles vertellen, maar dan moet u me wel veel vragen stellen. Ik kom uit Angola, intussen acht jaar geleden. Ik was toen negen. Van het land herinner ik me maar erg weinig meer, ik ben puur Belg geworden. Het was er warm, dat herinner ik me wel nog, en hier in België was het zo koud. In Angola waren we met ons vieren: mijn ouders, mijn zusje en ik. Er waren ook de buren, iedereen kende elkaar. Ik ging met de kinderen van de buren altijd in de rivier zwemmen. Dat weet ik nog, en dat ik met mijn vriendjes voetbalde ook.

Ik weet bijna niks meer over mijn ouders, en ook van mijn zusje kan ik me niet veel meer herinneren. We woonden op het platteland, in een klein huisje met zo'n golfplatendak. Ik was eigenlijk de hele dag buiten, ik ging nooit naar school. Er was wel een schooltje, dat ze in ons dorp min of meer zelf in elkaar gestoken hadden, maar van de man die ons lesgaf kregen we altijd slaag als we onze wiskunde niet kenden. We moesten altijd maar studeren en als we ons huiswerk niet hadden gemaakt kregen we met de stok. Ik ging dus niet graag naar school.

We waren niet erg rijk thuis, maar ook niet echt arm. We hadden ons eigen lapje grond, we plantten allerlei dingen, zoals maïs. Daarmee konden we ons eigen potje koken en we konden er ook wat van verkopen bij ons in de buurt. De buren gingen bijvoorbeeld herten schieten, en dan deelden zij het vlees met ons.

Ik weet niet waarom we naar België zijn gekomen en hoe. Het was nacht, ik sliep. We zaten in een vliegtuig, met andere mensen erbij. Er waren ook Belgische mensen bij. Iedereen was vriendelijk en we kregen lekker eten in dat vliegtuig. Daar sliep ik goed van. Mijn moeder heeft me wakker gemaakt en ik dacht: Wow. Waar ben ik nu? Alles was zo licht om te zien. Zo mooi en zo netjes. Toen zijn we naar de stad Brussel gekomen, ergens in een huisje. Daar heb ik een echte douche gezien, ik wist niet hoe een echte douche werkte. Alles was zo anders. Alles, je kunt je dat niet voorstellen. Wat daar verder gebeurd is weet ik niet, ze zeiden altijd weer dat we naar een ander huisje moesten, altijd maar weer. En dan moesten we ons ergens in Brussel inschrijven, en wachten.
Er was een heel grote file, allemaal mensen, een lange rij mensen, we hebben drie dagen lang moeten wachten. Het zat altijd vol, we moesten iedere ochtend

opnieuw terugkeren en wachten. Toen het onze beurt was, hebben we spuitjes gekregen en we moesten ook onze vingerafdrukken laten maken. We hebben twee of drie dagen een huisje gekregen, waar ook andere vluchtelingen waren.

Mijn moeder en mijn zusje waren toen nog bij me.
Maar er moet iets gebeurd zijn.

Plotseling zat ik daar alleen.
In dat huisje.
Alleen.

Ik zat daar misschien wel vijf dagen lang
alleen.

Ik wist niet wat er aan de hand was.

De buurvrouw vroeg: 'Waar is uw ma?'
'Dat weet ik niet,' zei ik.

Die buurvrouw heeft toen een andere vrouw meegebracht, een tolk die Portugees sprak. Die vroeg ook: 'Waar is uw ma?' 'Dat weet ik niet,' zei ik. 'Ze was gaan winkelen.' Ze hebben me daar toen weggehaald en me naar het opvangcentrum van het Klein Kasteeltje gebracht.

Mijn mama was weg,
mijn zusje ook.
Ineens was ik alleen.
Ik heb nooit meer iets van hen gehoord.
We hebben ze gezocht.

'We gaan ons best doen,'
zei die mevrouw die Portugees sprak.

Maar ze hebben ze niet gevonden.

Niks.

Ik was te jong om in het Klein Kasteeltje te verblijven. Ze hebben me toen naar Aalst gebracht, waar kinderen opvang krijgen. Daar ben ik vrij lang gebleven, enkele weken of een paar maanden, en toen ben ik naar pleegouders gebracht. Vier jaar was ik bij hen, maar het liep fout. Ik had het soms erg moeilijk met mezelf. Ik heb er wel mijn beste vriend gevonden, Björn. Met hem ging ik altijd op stap, naar de markt, naar het voetbal kijken of gewoon de stad in. Zoals gezegd had ik het verder soms wel moeilijk. Ik weet niet precies waarom het fout liep met mijn pleegouders. Ik woonde eigenlijk graag bij hen en ook nu heb ik nog steeds contact met hen. Er waren soms wel woordenwisselingen, maar daarin verschilden we niet van andere gezinnen. En op een dag kreeg ik te horen: 'Je moet hier weg.'

Toen ben ik in Schaarbeek terechtgekomen. En van Schaarbeek ben ik naar Zoutleeuw gebracht. En van Zoutleeuw naar Houthalen. Dat waren opvangplaatsen waar je maximaal zes weken kon verblijven. En nu ben ik hier. Ik heb heel België gezien. Ik was altijd op de dool.

Volgens mij zijn mijn ma en mijn zusje dood.
Acht jaar lang niets van hen horen,

dat kan toch niet? Ik vind
dat het niet kan,
het is niet normaal.

Ze hebben niks meer laten weten,
het is zo lang geleden. Normaal spreek ik
Portugees.

Ik spreek geen Portugees meer.
Alles vergeten. Ik begrijp het nog een beetje,
maar spreken?

Nee.

Ik spreek nu beter Nederlands
dan Portugees.

Ik begrijp het niet.

Op de televisie zie je soms mensen
die verdwijnen, maar die vinden ze
normaal toch altijd terug?

Mijn ma en mijn zus
zijn al acht jaar vermist.

Dat klopt toch niet?

Ze kunnen niet naar Angola zijn teruggekeerd, zeggen ze hier in België, want dat kon mijn ma niet betalen. Er was ook niemand om naar terug te keren. Mijn papa is al heel lang dood. Ik weet ook niet hoe wijzelf naar hier zijn gekomen. Misschien is het gegaan zoals je soms op de televisie ziet, met mensensmokkelaars.

Ik heb nu Belgische papieren. Ik heb een soort pas, een verblijfstitel. Ik heb een bankpas. Ik heb eigenlijk alles. Ik ga nu ook naar school. Ik leer voor lasser. Het gaat wel. In België ben ik tenminste iets. Ik heb een facebookpagina, en ik zit ook op msn. Als vrienden me vragen: 'Wat ben je van plan te doen?' dan zeg ik:

‘Niets.’

Je moet weten:
Ik kom van niets
naar iets.

Ik zeg: ‘Jullie
zullen me zien groeien.’
Dat geloven ze niet,

maar het is zo.

Vroeger had ik niets.
Nu heb ik werk.

‘Terwijl jullie,’
zeg ik tegen sommige vrienden,
‘niet eens werk hebben.

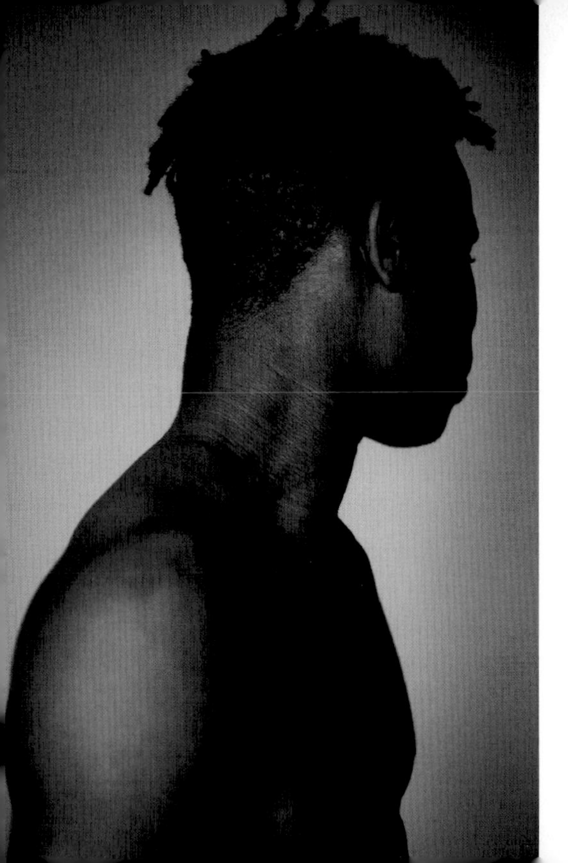

Jullie zijn toch niet dom.
Je ziet toch dat ik aan het groeien ben?’

Dankzij mijn helpers, mijn begeleiders,
dankzij het comité voor de bijzondere
jeugdzorg ben ik mens aan het worden.

Vroeger was ik geen mens.
Ik heb psychiatrische hulp nodig gehad.
Ik kon me niet concentreren.
Nooit niet.
Nergens.

Ik kon niet geloven dat mijn ma
zomaar weg is gegaan.

Ik kon niet slapen,
ik kreeg slaappilletjes.

Nu nog.
Altijd.

Ik kan me nog altijd niet lang concentreren.
Mijn gedachten dwalen af.

Altijd.

Of ik val zomaar in slaap.

Ik kan nog altijd niet geloven wie ik ben.

Ik voel dat ik hier in België zo alleen ben. Ik ga ook niet zo vaak met Afrikanen om. Ik voel me beter in gezelschap van een blanke dan bij Afrikanen. Echt veel beter. Al mijn vrienden zijn blank, bij hen voel ik me op mijn gemak. Hier, waar ik nu ben, kom ik niet vaak buiten. Er is ook weinig reden toe, en als ik toch naar buiten kom, kijken de mensen me voortdurend aan, zo van: wat doet die jongen hier? Ik heb het ook een paar keer aan de stok gehad met buren. Die riepen:

'Stomme zwarte,
wat kom jij hier doen?'

Ze zijn hier niet allemaal racistisch, de mensen, maar sommigen wel. Dat soort opmerkingen hoor ik hier heel vaak.

Ze zijn bang, denk ik.

Dus kom ik niet vaak buiten. Naar het voetbal ga ik alleen kijken als vrienden me vragen. Anders kwam ik nooit meer buiten, dan speelde ik alleen maar computerspelletjes. Ik koop er veel, en ik speel veel, dan hoef ik niet te denken. Ik speel op de computer en dan ga ik slapen. De begeleiders zeggen soms: 'Ga 's een beetje fietsen, Vinny.' Dan zeg ik: 'Nee, dat hoeft niet.'

Mijn leven is heel erg veranderd. Als ze mijn ma zouden terugvinden, dan zou ze me niet meer herkennen. Ze zou zeggen: 'Wie is dat?' En als ik naar Angola zou terugkeren, wie zou me daar nog kennen? Ik durf niet terug te keren. Het is een vreemd land geworden. België ken ik intussen bijna vanbuiten. Ik hou van België omdat hier alles volgens het boekje gaat. Er zijn regels en iedereen houdt zich eraan. En als je iets fout doet, weet je ook wat de gevolgen kunnen zijn. Iedereen weet wat je moet doen en wat niet. Dat vind ik mooi aan België. Ik heb van dit land niks te klagen.

Soms heb ik wel problemen met de politie. Tja, de politie. Ze hebben hier een keer mijn hele kamer doorzocht. Waarom weet ik niet. Er zijn hier in de rest van dit huis jongens die rondstrooien dat al mijn spullen, mijn stereo, mijn televisie, dat die allemaal gepikt zijn. Die denken dan: Vinny heeft een tv, dat kan niet. Hij woont alleen in België. Iemand die helemaal alleen is in België, en die zoveel heeft. Nee, dat kan niet. Dus kwam de politie hierheen.

Ik zei: 'Dit is mijn kamer.
Doe maar.'

Ze hebben gezocht,
en gezocht,
en gezocht,

maar ze hebben niets gevonden.

Ik heb ze alle papieren laten zien, alle bons en tickets, zodat ze wisten dat ik alles netjes zelf gekocht hebt. Maar ze geloofden me niet. Ze dachten zelfs dat mijn mobieltje gepikt was. Ze geloven me niet omdat ik zwart ben. Ik ben hier de enige zwarte jongen. Op school ook. Daar is het vooral Turkije en Marokko, en ik. Tijdens de ramadan is de school gewoon leeg. Het is een klein stukje België, die school.

Maar ik ben blij. Ik ben blij
voor mezelf. Ik heb een paar tattoos
laten zetten. Deze hier, op mijn arm,

dat is de naam van een vriend van mij.
Hij is heel belangrijk voor mij, die jongen.
Ik ken hem al heel lang.

Zeven jaar.

Hij is altijd bij mij gebleven,
met al mijn problemen.

Hij is trouw.

Ik heb boetes gekregen,
ik vroeg hem of hij die kon betalen,

hij heeft betaald. Hij deed
veel voor mij. Hij is negentien.
Hij werkt nu.

Hij is een echte vriend.

Ik heb hem leren kennen op straat. Ik was aan het voetballen en hij vond dat ik goed kon voetballen. We zijn aan het praten geraakt en ik mocht met hem mee naar zijn huis, naar zijn ouders. Ik sprak toen nog geen Nederlands. Ik zat daar om me heen te kijken. Maar hij had familie die Portugees sprak en dat was wel fijn. Alles wat ik heb komt van hem. Als ik iets nodig heb kan ik hem vragen of hij dat voor mij wil regelen. Deze zomer ga ik bijvoorbeeld werken, en dan geef ik hem geld, om dingen te regelen. Hij is me meer waard dan geld. Hij heeft mijn leven gered. Als ik problemen heb, dan weet hij altijd meteen een oplossing. Hij is een beetje mijn god. Ik was laatst op stap in Leuven, en ik wilde terug naar huis, maar er waren geen treinen of bussen meer. Dus belde ik met hem, en hij zei: 'Wacht een uur of twee, dan kom ik je ophalen.' Dat heeft hij gedaan. Ik ken niemand anders die ik zomaar kan bellen als ik problemen heb.

Ik heb geen overdreven dromen over het leven. Ik wil gewoon mijn broodje zelf kunnen verdienen. Een mooie BMW wil ik ook wel. Ik zou de mensen graag laten zien dat ik van niks naar iets kom. Ik heb aan de mensen hier gevraagd: 'Waar kun je goed geld mee verdienen zonder dat je later in de problemen komt omdat er geen werk is?' 'Lassen,' zeiden ze. Dat doe ik nu al vier jaar. In het begin deed ik het niet graag, want ik had hier brandwonden, en daar brandwonden, maar na drie jaar ging het ineens heel goed. En nu doe ik het elke dag. Iedere vakantie werk ik, en ik verdien zeker vijftienhonderd euro. Dan kan ik een mobieltje kopen, of een computer of schoenen. Alles wat ik nodig heb. Ik zet het geld op een bankrekening tot ik het nodig heb. Als ik achttien word, ga ik

misschien zelf iets kopen. Dan ga ik samenwonen met mijn beste vriend, zoals in *Friends* op de televisie. Alle jonge mensen willen samenwonen zoals in *Friends*. Iedereen op school praat erover. Binnenkort wil niemand meer alleen wonen.

Ik droom ook over een gezin, maar ik zou alleen maar zonen willen. Want weet je, mijn moeder bestaat niet meer, en mijn zusje bestaat niet meer, althans volgens mij zijn ze er niet meer. Ik wil zonen om mijn naam waar te kunnen maken, want mijn naam bestaat nu nergens meer. Ik wil zonen die mijn naam dragen. Je hoort hem nergens, mijn naam. Er zit een jongen in mijn klas, en zijn naam zie je overal. Cocks hier, Cocks daar. Ik zeg: ‘Is dat allemaal familie van je?’ Dat wil ik ook wel zien gebeuren met mijn naam.

Het mooiste moment voor mij hier in België was toen ik met mijn voetbalclub kampioen ben geworden. Nu speel ik al een jaar geen voetbal meer, door mijn problemen kan ik me niet concentreren. Maar het was mijn beste vriend die me bij die ploeg heeft gebracht. Toen we kampioen werden mochten we naar Mariakerke aan zee. We konden er zwemmen, kajakken, het was super, en we mochten met die ploeg ook naar Spanje. Het was genieten. Niks stress.

Het zwaarste was voor mij het weggaan bij mijn pleegouders. Ik kon niet geloven dat ik ineens weg moest. Echt niet. Het was alsof de grond onder mijn voeten wegviel. Ik dacht: dat kan niet. Ik had daar vrienden gemaakt, vier jaar lang, en ik moest zomaar weg, naar Schaarbeek, waar ik niemand kende. Daar ben ik erg triest van geworden, heel erg triest. Ik heb drie dagen geweend, en ik ben zeker een maand lang niet naar school geweest. Ik wilde alleen maar slapen. Ik heb toen besloten dat ik altijd alleen sta. Ik ben er een ander mens door geworden. Ik ben alleen, ik moet me maar uit de slag zien te slaan, redeneerde ik. De begeleiders daar in Schaarbeek zeiden: 'Maar je kunt je vrienden ook hier uitnodigen.' Maar ik zei: 'Vanaf nu wil ik van niemand nog afhankelijk zijn.' Ik moest altijd weer van voor af aan beginnen, terwijl ik gewoon wilde wonen waar mijn vrienden woonden. Of ik wilde dat ze daarheen kwamen, maar dat kon niet. Toen ben ik een paar keer weggelopen. Ik zei tegen mijn begeleiders: 'Als ik hier moet blijven, hang ik me op. Ik kan hier niet leven.' Ik zag het niet meer zitten.

Nu is het goed met mij. Ik heb hier mijn eigen kamer, dat is fijn. Mijn begeleiders zeggen dat ik heel erg veranderd ben. Ik kan hier zelf koken, ik heb hier mijn spullen. Mijn vrienden mogen hier op bezoek komen. Ik kan gaan en staan waar ik wil. Dat is anders dan vroeger. Nee, ik red me wel.

ER ZIJN
PSYCHIATERS
DIE VOOR
GELD OM
HET EVEN
WAT WILLEN
VERKLAREN'

"Ik vecht tot ik
in mijn graf lig"
13/12/2007
20:00
50 Cent
FOREST NATIONAL - VORST NATIONAAL

YES
I'M BLACK
NO!
I'M NOT A CRIMINAL

Ik hang graag overal tekstjes op mijn kamer.
Ik maak ze zelf.

'Yes I'm black.
No I'm not a criminal'

'Ik vecht tot ik in mijn graf lig'

Ik sta alleen. Ik moet vechten.
Ik moet doorgaan,

tot mijn hart stopt.

'Niet aarzelen. Doen!'
'Praat niet recht wat krom is'

Op mijn televisie staat een beeldje van Maria.

Het geeft me hoop. Ik vind ook
dat het me soms geluk brengt.

Ik overdrijf daar niet in, maar het helpt soms
me uit de put te halen.

Het komt uit een kerststalletje,
de andere beeldjes heb ik weggegooid.

De Peul, het seminomadische volk waartoe Hawlatou behoort, leeft verspreid over de West-Afrikaanse landen Niger, Mali en vooral **Senegal**, waar Hawlatou geboren werd. Sommige groepen van het volk zijn streng islamitisch en doen aan vrouwenbesnijdenis. Hoewel de Senegalese strafwet de praktijk sinds kort uitdrukkelijk verbiedt en tal van internationale instanties zoals Unicef vrouwenbesnijdenis aanklagen, blijft het gebruik bestaan. Hawlatou werd er een paar jaar geleden het slachtoffer van. Sinds ze in België verblijft, is de strijd tegen vrouwenbesnijdenis in Senegal wel een belangrijk politiek strijdpunt geworden, en vooral organisaties die in de lokale gemeenschappen aan voorlichting en bewustmaking doen, boeken steeds meer succes. De hoop leeft dat door dergelijke lokale campagnes binnen afzienbare tijd alle gemeenschappen die vrouwenbesnijdenis toepassen uit eigen beweging deze zwaar verminkende en traumatiserende traditie afzweren. Zoals uit Hawlatous korte maar schokkende verhaal blijkt, richten ook in ons land groepen zoals Gams (Groupe pour l'abolition des mutilations sexuelles), waarin Hawlatou actief is, zich op begeleiding en vorming van vrouwen die het slachtoffer zijn van genitale verminking.

Ik ben nog geen dag zonder pijn geweest

Het verhaal van Hawlatou

Ik wil mijn verhaal graag vertellen,
want dat is belangrijk.

Maar nu u hier bij me zit,
voel ik hoe moeilijk het me valt.

Het is niet omdat u een man bent,
daar heeft het weinig mee te maken.

Het is moeilijk,

dat is alles.

Het is nog maar zo kort geleden.
Deze zomer zal ik twee jaar hier zijn.

Ik ben nu zeventien.

Ik ben geboren in Senegal,
in een klein dorpje, Dialokoto,

niet in de stad.

Ik behoor tot het Peul-volk,
wij zijn islamitisch,

de Peul doen aan vrouwenbesnijdenis.

Ik ben ook besneden.

Had ik geweten wat me zou overkomen,

dan was ik gaan lopen.

Dan was ik weggelopen, zeer zeker.

Het is moeilijk, ik wil echt wel op alle vragen
antwoord geven, maar het is moeilijk.

Ik was nog klein. Ik weet nog
dat ik naar het huis
van een oude vrouw werd gebracht.

Daar moest ik iets drinken.
Ik ben in slaap gevallen.

Toen ik wakker werd
stond die oude vrouw naast me, ze zei:

'Je bent besneden.'

Ik had vreselijk veel pijn, ik heb nog steeds
veel pijn, ik ben sindsdien nog geen dag
zonder pijn geweest.

Niemand bij ons, de Peul, verzet zich.
Dat is onbespreekbaar. Als kind heb ik misschien
één keer iets over vrouwenbesnijdenis gehoord,

op de radio.
Eén keer, dat is alles.

Mijn moeder is ook besneden,
mijn tantes. Als je het niet laat doen,

besta je niet.
Dan vind je geen man,

zeggen ze.

Het heeft niets met het geloof te maken.
De Koran zwijgt erover.

Ik ben nog steeds gelovig.
Ik bid, elke dag, volgens mijn geloof.

Dat is belangrijk.

Mijn volk besnijdt vrouwen.
De mannen menen dat vrouwen die niet
besneden zijn makkelijk ontrouw zullen plegen.

Het is iets van onze cultuur,

van de mannen,
tegen de vrouwen.

Je hebt verschillende vormen van besnijdenis.
Soms snijden ze alleen de clitoris weg,
soms ook de schaamlippen.

Bij mij is alles weggehaald.

Ik heb mezelf nog niet goed durven bekijken.
Ik zei het al, het doet pijn.

Ik heb een vriend,
gelukkig is hij erg begripvol.

Ik ben doodsbang voor seks:
ik ben bang dat het pijn zal doen.

Ik was kwaad, toen het gebeurd was.
Hoe kan een vrouw zoiets laten gebeuren?

Hoe kun je je dochters
daaraan onderwerpen?

Er vallen soms doden bij,
sommige meisjes krijgen infecties.

Plassen is een probleem.
Menstrueren.

Kinderen baren.

Ik ben uiteindelijk weggegaan.
Ik was te bang en te boos.

Het werd te erg, bij mijn familie leven.
Ze wilden me aan iemand uithuwelijken

tegen mijn wil.

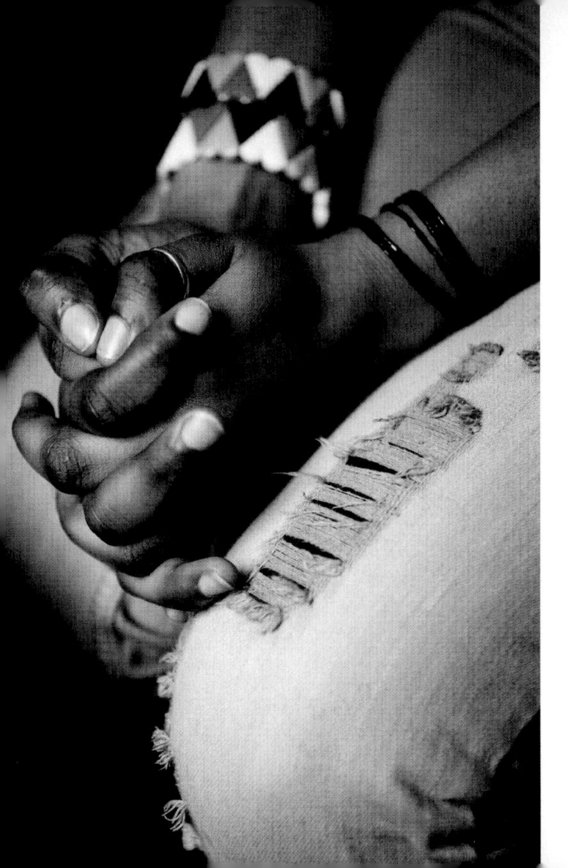

Daarom ben ik weggegaan, het was
te erg, daar kon ik niet

mee leven.

Mensen hebben me mijn land
uit geholpen.

Ik moest mijn zus achterlaten.
Dat is hard, nog steeds. De anderen

laten me koud.

Nu ben ik hier.
Ik doe hier verschillende dingen.

Onder andere als vrijwilliger bij Gams,
een organisatie die zich inzet voor vrouwen
met genitale verminking.

We doen aan voorlichting en begeleiding.

Ik werk ook mee aan onderzoek
naar seksueel misbruik in asielcentra.

Dat komt voor, ja. Ook bij de begeleiders.

We houden onder andere gespreksrondes,
we voeren ook toneelstukjes op.

We werken met psychologen.
We leren vrouwen ook lezen en schrijven.

Het is vaak niet alleen hun lichaam
dat verminkt wordt,

ze zijn ook onderdrukt
in hun hoofd.

Je kunt besnijdenis van vrouwen
niet los zien van de rest

van een cultuur.

We weten niet hoeveel vrouwen
in België genitaal verminkt zijn.

Er is weinig aandacht voor.
Dat is jammer,

want het is niet niks.

Het helpt, dat werk voor Gams,
het heelt; wat ik meegemaakt heb

heeft me ook erg gevoelig gemaakt
voor onrecht

en gerechtigheid.

Wat gebeurd is,
is gebeurd, het valt

niet meer te veranderen.

Maar de toekomst misschien wel.

Dat helpt.

Mijn dromen?

Ik studeer hier.

Administratie.

Senegal heb ik achter me gelaten.

Ik hoop hier werk te vinden,
een gezin te hebben.

Hoe dat allemaal moet,

dat weet ik nog niet zo goed.

Ik hoop ook mijn zus te kunnen weerzien:

ik mis haar, ik zit over haar in.

Ik hoop dat ik haar ooit terugvind.

Kameroen, officieel de Federale Republiek Kameroen, in 1961 ontstaan uit de samenvoeging van het voormalige koloniale Frans en Brits Kameroen, kent een erg jonge bevolking. Zesennegentig procent van de naar schatting 19,5 miljoen Kameroenezen is jonger dan vijfenzestig. De gemiddelde levensverwachting bedraagt net geen vierenvijftig jaar. De ooit relatief bloeiende economie en infrastructuur van het land hebben zwaar te lijden onder de corruptie door een sterk autoritair presidentieel regime, wat ook een negatieve weerslag heeft op de kwaliteit van gezondheidszorg en onderwijs. Er heerst een grote kloof tussen een kleine rijke elite en een groot aantal armen. Zoals in veel Afrikaanse landen is voetbal in Kameroen uitermate populair. Voor veel jonge mensen, en hun familie, belichaamt de sport de hoop op sociale promotie, welstand en maatschappelijk prestige.
Ook Brice, die oorspronkelijk op nogal duistere wijze in Duitsland belandde en uiteindelijk naar België kwam, hoopt een bloeiende voetbalcarrière op te bouwen. Tegelijk is hij er zich van bewust hoe moeilijk het is in het leven vooruit te komen als je familie meent dat je in Europa een prinsenleven leidt en van je verwacht dat je je rijkdom met haar zult delen.

In Afrika beslist het leven voor jou

Het verhaal van Brice

Ik ben geboren in Kameroen. In Douala, de economische hoofdstad van het land. Mijn kindertijd bestond uit voetbal, voetbal en voetbal. Natuurlijk was er ook een school, maar voor en na schooltijd was het met mijn broertjes en mijn vriendjes altijd voetbal.

Voetballen was mijn droom.
Het is nog altijd mijn droom.
Ik zou heel graag profvoetballer worden.

Ik groeide op in een gewoon gezin, met mijn vader, mijn moeder, mijn broers. Als je klein bent verlang je niet naar grote dingen. Te eten hebben en kunnen spelen, dat is meer dan genoeg.

Ik ben op mijn veertiende in België gekomen. Dat is jong. Maar ik heb hier ook een halfzuster wonen. Ik speelde bij een club, die had in Denemarken een toernooi. Ik ging met die club mee om te spelen. We reisden over Hamburg. Daar stapten we van het vliegtuig over op de trein, en voor de terugreis zouden we hetzelfde doen, van de trein uit Denemarken overstappen op het vliegtuig. Op de terugreis ging ik in het station van Hamburg even naar het toilet, we zouden naar de luchthaven gaan, en toen ik terugkeerde was mijn club verdwenen.

Echt waar.

Ik weet niet waar ze heen waren, ik heb hen nog gezocht, maar ik heb niemand gevonden.

Het is bizar, ik weet het.

Ik ben misschien twee minuten weg geweest.

Daar stond ik dan, met alleen maar mijn voetbalplunje aan.

Toen kwam er een meneer langs, een zwarte. 'Ben jij een voetballer?' vroeg hij. Ik zei: 'Ja.' Hij vroeg het in het Engels, dat ik niet zo goed begrijp. 'Wat doe je hier helemaal alleen?'

'Ik ging naar het toilet en nu zijn de anderen weg,' zei ik.

'Als je nu naar de politie stapt om je aan te geven, zullen ze zeggen dat je uit je land probeert te vluchten,' antwoordde hij. 'En dan zul je nooit meer kunnen voetballen, dat mag je dan vergeten. Maar als je met mij wilt meegaan, dan kan ik een club voor je vinden. Anders verlies je je paspoort en kun je hier nooit meer terugkeren.'

Voor dat toernooi zijn we met de club op de ambassade geweest, om foto's te laten nemen voor onze paspoorten, zoals gewoonlijk.

Ik wilde graag terugkeren. Toen ik klein was heb ik vaak op internaten gezeten, op voetbalinternaten. Mijn vader had het erg druk, hij was mechanicus. Ik wilde dus graag naar huis, maar hoe moest ik dat doen? Daarom ging ik in Hamburg maar met die man mee. Ik kende ook de taal niet. Ik kende alleen maar mijn zus in België een beetje, maar in Duitsland kende ik niemand.

Ik heb toen in verschillende huizen verbleven. Bij die man zelf, bij vrienden van hem, hier en daar. Ik mocht natuurlijk niet officieel voetballen, maar ik ben daar in Hamburg wel bij een club terechtgekomen. Ik kon geen contact opnemen met mijn zusje in België, en ook niet met mijn vader. Al mijn spullen zaten in mijn tas, en die was weg. Ik ben toen op zoek gegaan, via Kameroenezen in Hamburg die ook uit Douala afkomstig waren, en zo ben ik aan het telefoonnummer van mijn vader gekomen. En die heeft me het nummer bezorgd van mijn zus in België.

Ik was bang in die tijd, maar niet heel erg. Het voetbal zat al zo lang in mijn kop. Het was een obsessie. Mijn papa had me altijd aangemoedigd, mijn mama, iedereen. En ik heb veel broers en mijn vader wilde graag dat ten minste één van zijn zonen voetballer zou worden. Geen ster, maar iemand naar wie hij op de televisie kon kijken, zodat hij kon zeggen: 'Dat is mijn zoon'. Mijn andere broers hebben het allemaal wel geprobeerd, maar daar is niets van gekomen.

Dus toen die man me op het vliegveld zei dat ik vluchteling zou worden als ik naar de politie stapte, en dat ik nooit meer zou kunnen terugkeren, was ik misschien wel bang, maar ik was nog banger dat ik nooit meer in een club zou mogen spelen.

Uiteindelijk is mijn zus me komen zoeken, ik was toen vijf maanden in Duitsland. Ik ben in Brussel aangekomen op 17 december 2006, bij de moeder van mijn zusje. We hebben wel dezelfde vader, maar niet dezelfde moeder.

Het was hard hier, heel hard. In Hamburg kende ik leeftijdgenoten en konden we voetballen. Hier moest ik me stilhouden, niet opvallen, thuisblijven. Ik had alleen mijn zus als gezelschap. Zij is veel ouder. Zesendertig. Dat viel niet mee.

Gelukkig heb ik dan een voetbalclub gevonden, dus kon ik na schooltijd gaan spelen. Op den duur kwam ik alleen nog naar huis om te slapen.

Het was moeilijk. Ik had ook geen enkel verblijfsdocument, de procedure om als vluchteling erkend te worden was wel al opgestart, maar ik moest nog op de uitspraak wachten. Mijn zus zei: 'Je hebt geen papieren, je bent nog maar vijftien, je moet braaf zijn.' Ik mocht geen televisie kijken, niet kiezen wat ik wilde zien. Als ze niet thuis was, kon ik dat natuurlijk wel doen. Maar als ze in huis was, keken we naar wat zij wilde zien. En dat was maar af en toe naar het voetbal. Ik had ook geen eigen kamer. Ik moest op de bank slapen. Maar zolang zij naast me op de bank televisie keek, kon ik niet slapen. Dan moest ik wachten tot zijzelf ging slapen. Het was geen droom, dat leven.

Nu ben ik erkend. Nu heb ik papieren. Dat is goed zo. Het heeft wel wat moeite gekost: mijn zus had de verkeerde procedure in gang gezet. Ik was minderjarig, maar mijn zus had een regularisatieaanvraag ingediend voor een volwassene. In het gebouw van de vriend van mijn zus woonde gelukkig een vrouw die in Congo was opgegroeid, en die heeft me toen geholpen om alles in orde te brengen. Ik mocht ook bij haar wonen tot ik een eigen appartementje gevonden had.

Ik ben tevreden.
Ik kan nu doen wat ik wil.

Als je papieren hebt,
dan heb je ook zelfvertrouwen.

Papieren betekenen veiligheid.
Je wordt daar rustig van.

Nu alles geregeld is, voel ik me wel
niet altijd even goed. Wachten
op papieren geeft je ook een doel,
het motiveert je.

Nu is dat niet meer nodig.

Nu zijn er andere problemen.
Sinds ik hier ben is mijn papa gestorven,

en mijn moeder ook.
Ik heb ginder nog zusjes,

kleine zusjes. Over hen
zit ik nu in.

Het is triest.

Ik voel me niet verantwoordelijk voor hen, maar ik vind dat ik iets zou kunnen doen, of dat ik iets zou moeten doen. Ik heb natuurlijk ook nog broers, ik ben de vijfde zoon van mijn moeder. Zij zouden ook iets kunnen doen. Als ik naar Kameroen zou terugkeren, zou ik ook niet meteen weten wat ik voor mijn zusjes zou kunnen doen. Ik ben de enige die in het buitenland woont, op mijn halfzus na, maar die bekommert zich niet om hen.

In Afrika heerst de gewoonte dat je, als je erin slaagt naar Europa te komen, de verantwoordelijkheid voor je familie opneemt en voor hen zorgt. Ikzelf kan dat moeilijk doen, ik studeer nog. Maar de hoop is er altijd, thuis in Kameroen. Ik kan ook niet zijn zoals mijn halfzus is. Het gaat om mijn broers en zussen, ik ben samen met hen opgegroeid. Het is jammer zoals zij zich gedraagt. Ze is het verleden vergeten. Ze heeft alles uitgewist. Daarom zit ikzelf zo over mijn familie in.

Het legt een druk op me. Het is niet zo dat ik van de honger omkom, maar veel kan ik niet doen. En ik hoor dat er veel problemen zijn tussen mijn familie ginder en mijn halfzus, dat er zich nogal wat spanningen tussen hen voordoen. Dat weegt wel op me. Het is aan mij om werk te vinden, geld te verdienen en de familie te helpen. Maar ik ga het voetbal niet opgeven, dat kan ik niet. Ik heb mijn ambities, die laat ik niet varen. Ik heb bij een mooie club gespeeld, maar dat kan nu niet meer. Ik ben geen Europees burger, en daarom kan ik niet bij een officiële club spelen. Ik heb alleen mijn verblijfskaart, die elk jaar vernieuwd moet worden. Ik ben dus maar op zoek gegaan naar een fijne amateurploeg, want ik wil blijven voetballen. Ik hoop natuurlijk Belg te kunnen worden, en dan bij een echte professionele club te mogen spelen.

Wat ik mis van mijn land, dat is het samenleven. Hier ben je alleen. Als je geen broers of zussen hebt, ben je alleen. Natuurlijk zijn er vrienden, maar dat is niet hetzelfde. Familie is zo belangrijk. Ik ben opgegroeid midden tussen tantes, ooms, neven, nichten, en al mijn broers. Hier bestaat dat niet. Maar ik zou ook niet weten wat mijn familieleden zouden moeten aanvangen als ze hierheen zouden komen. Ik heb wel broers en zussen die studeren en die heel erg

intelligent zijn. Die zouden hier misschien wel aan de bak kunnen komen, maar als ik met hen bel en ze zeggen: 'Ik wil ook naar België komen', dan zeg ik dat het heel erg moeilijk is. En het is ook echt moeilijk. Het is hier niet zoals ze denken. Zeker als je meerderjarig bent en geen papieren hebt, dat is de dood.

Als je in Afrika opgroeit, en je denkt aan het Westen, dan ken je de realiteit niet. Ik was zelf ook zo. Ik ging slapen en ik droomde elke nacht van Europa. Wat je ervan op de televisie ziet heeft ook weinig met de werkelijkheid te maken. Je ziet wel iets van de politiek en van de commerciële centra, maar het leven erachter, het dagelijkse leven, dat zie je niet.

Soms denk ik: waarom blijf ik hier? Is het dit alles wel waard? Vooral omdat ik sinds ik hierheen kwam, voor dat toernooi, mijn vader niet meer gezien heb. Mijn broers zeiden altijd dat ik van ons allen het meeste op hem leek. En toen ik hier was hoorde ik dat hij ziek was. Hij was al niet gezond meer toen ik vertrok, maar daar heeft hij me nooit iets over gezegd. Dat heeft hij pas gedaan toen ik hier was, en toen is hij gestorven. Ook een van mijn broertjes is al een hele tijd erg ziek. Hij heeft zich al eens van het leven willen beroven. Ik ben de enige die een goed contact met hem heeft, de anderen kunnen niet goed met hem omgaan.

Hij wordt vaak kwaad en schiet dan uit, tegen mijn broers, maar ook tegen mijn vader toen die nog leefde. Ik ben eigenlijk de enige die nog een beetje redelijk met hem kan praten, de anderen hebben het intussen opgegeven.

Maar tegelijk denk ik: ik kan ginder niet veel voor hen doen. Ik ben nu eenmaal hier, en ik heb het geluk dat ik kan blijven. Momenteel zijn mijn middelen eerder beperkt, maar daar kan altijd verandering in komen.

Het is makkelijk om te redeneren dat je misschien beter bij je familie kunt zijn, ook al ben je arm, maar dan ken jij de realiteit niet waarin wij moeten leven. Bij ons moeten opgroeien en een leven opbouwen, dat is niet niks. Hier is het leven uiteindelijk wel stukken beter, veel beter. Hier staan je zo veel mogelijkheden ter beschikking, je kunt het leven leiden dat je wilt. Als je een rustig leven wilt, zonder veel gedoe en geploeter, dan kun je dat, als je dat wilt, ook echt bereiken. Je kunt hier iets doen, het ligt in jouw handen. Jij bent het, die de beslissingen neemt. Ginder ligt dat anders. Het is het leven dat voor jou de beslissingen neemt. Je leeft van dag tot dag, je kunt weinig anders. En je ziet dat er in elke familie wel iemand is die zich voor de anderen wil opofferen, die de familie wil verlaten om geld te verdienen en voor brood op de plank te zorgen.

Mijn eigen familie redeneert: hij woont alleen. Hij betaalt zus en zo voor de huur van zijn appartement. Dan halen ze de balpen tevoorschijn en rekenen uit hoeveel geld dat is in onze lokale munt. Natuurlijk komen ze dan uit op een bedrag waarvan ze denken: wauw, die kerel is schatrijk! Maar ik leg hun altijd uit dat de realiteit anders is, dat het dagelijkse leven hier ook veel duurder is. Je verdient veel, maar je hebt ook immens veel kosten.

Veel Afrikanen liegen hun familie iets voor. Ze houden de droom in stand en tegenover hun verwanten thuis wekken ze de indruk dat ze hier in grote sier leven. Ik vertel liever de waarheid. Als vrienden me bellen en ze zeggen: 'Brice, je moet me honderd, vijfhonderd euro opsturen', dan antwoord ik altijd: 'Ik kan helemaal niks opsturen. Ik studeer nog, ik ga naar school.' Ze zitten allemaal met dat beeld van luxe in hun hoofd.

Ik ken genoeg zwarten die bijvoorbeeld met kerst naar Kameroen terugkeren. Die kerels hebben hier geen werk, ze leven van de bijstand, maar ze gaan rare leningen aan of ze werken dan een tijdje zwart en verdienen misschien duizend of tweeduizend euro. Dan gaan ze met kerst voor een week naar Kameroen en hangen daar dan met dat geld de Kerstman uit. Natuurlijk denkt iedereen dan: die man woont in Europa. Hij doet bijna niets en toch kan hij met geld strooien alsof het niets is. Dan hoeft het mij niet te verbazen dat mijn familie van mij hetzelfde denkt en soms meent dat ik van alles achterhoud. Na een week komen die kerels dan naar België terug en kunnen ze zelfs geen eten meer kopen. Dat zou ik ook kunnen doen, maar ik wil dat niet.

Mijn broers bellen me soms. 'Je zou toch het graf van je vader en je moeder moeten bezoeken,' zeggen ze. Maar dan antwoord ik: 'Waarom moet dat? Ik kan een lening aangaan en naar jullie toe komen. Maar wat dan? Als ik terugkeer zit ik met schulden.' Ik weet hoe het gaat. Je komt dan aan, en uit elke hoek en kier en steeg komen familieleden tevoorschijn geklauterd die allemaal bij Kerstman Brice langs willen gaan. En als je aan één iemand iets geeft, verwachten alle anderen dat ze ook iets krijgen. Nee, ze moeten maar wachten tot ik genoeg geld verdien, echt verdien, om ze iets op te sturen. Hoe kun je ooit iets bereiken als je altijd alles meteen moet weggeven? Natuurlijk wil je er ergens ook wel trots op zijn dat je iets voor je behoeftige familieleden kunt doen, maar je kunt maar beter de waarheid vertellen. Ik zeg altijd dat ik niets uit te delen heb. Geloven ze me niet, dan is dat maar zo.

Alcidia De Sousa leerden we kennen toen ze ons bij onze ontmoeting met de zusjes Rana, Gyselinde en Marina bijstond als tolk. Al snel bleek dat ze ook optreedt als voogd voor een viertal niet-begeleide minderjarigen, en dat het voogdijschap haar nauw aan het hart ligt. Er is een groot gebrek aan voogden in ons land, terwijl het hebben van een voogd voor minderjarige vluchtelingen niet alleen bij wet verplicht is, maar voor deze jongeren ook louter menselijk een enorme steun kan bieden. Daarom besloten we naar Alcidia te luisteren.

Eerst liefde, en dan de rest

Het verhaal van Alcidia, voogd

Mijn naam is Alcidia De Sousa, ik ben van Portugese afkomst en ik woon al veertien jaar in België. Sinds enkele jaren ben ik voogd voor kinderen die hier als vluchteling terechtkomen. Ik ben in het voogdijschap gerold omdat ik al een hele tijd voor andere voogden tolkte. Dus ik had al contact met andere mensen die voogd waren, en iemand uit de vriendenkring van mijn man, die me als tolk aan het werk had gezien, suggereerde me op een dag dat ik eigenlijk zelf een hele goede voogd zou zijn. Ik heb daar toen over nagedacht, en ik zei bij mezelf: waarom ook niet? Ik was eigenlijk al lang aan het wachten op iets wat me wat meer vervulling kon bieden, ik zat in een periode dat ik eigenlijk niet zo goed wist waar het met mijn leven heen moest. Ik was op zoek.

De suggestie van die vriend van mijn man klonk me dus goed in de oren, en zo ben ik begonnen. Ik maakte me wel zorgen of ik het zou mogen doen. Ik vroeg het ook toen ik me aanbood. Het was zelfs mijn eerste vraag: ‘Kan dat wel, voogd worden, want ik ben geen Belg?' 'Natuurlijk,' zeiden ze. 'Dat is geen enkel probleem.' Gelukkig maar, zoals het maar goed is dat het systeem van voogdij bestaat. Dat is heel recent, pas sinds 2004, en het was hard nodig. Spijtig genoeg is er altijd een tekort aan voogden. Ik zou er de mensen voor willen interesseren. Er bestaan twee soorten voogden: mensen die het doen als een baan, en mensen zoals ik, die op meer vrijwillige basis met niet-begeleide minderjarige vluchtelingen werken. Als je ervoor kiest om het voogdijschap als vrijwilliger uit te voeren, dan doe je dat uiteindelijk ook veel meer met je hart, denk ik. Door het gebrek aan vrijwillige voogden zijn er vrij veel professionele voogden die vaak een heleboel kinderen begeleiden. Ik heb voor het voogdijschap gekozen vanuit mijn hart, omdat ik graag mensen help, en vooral kinderen. Kinderen zijn onze toekomst. Ik doe het graag. Als ik bij de kinderen die ik begeleid in het opvangcentrum op bezoek ga, dan is het voor hen alsof de zon door de wolken breekt. Ik beschouw mijn taak niet als louter administratief, ik doe dat werk met hart en ziel.

De opleiding tot voogd is een intensieve aangelegenheid. In vier dagen tijd krijg je een overzicht van alle instanties die bij het beleid rond vluchtelingen en asielzoekers betrokken zijn en welke opvang er bestaat, en je wordt ook grondig geïnformeerd over de rechten en de belangen van het kind. Als voogd werk je namelijk volledig in het belang van het kind. Daarom moeten we goed weten welke diensten er bestaan, welke advocaten in die materie gespecialiseerd zijn, enzovoort. Zeker in het begin moet je daarin je weg nog zoeken, maar met de tijd word je er handiger in. De ervaring die je opdoet vult de kennis aan die je uit de cursussen haalt. Ik vond het zeer boeiend. Alles was nieuw voor me. Ik had verwacht dat die kandidaat-voogden vooral Belgen zouden zijn, en die waren er ook wel, maar ik keek ervan op dat mensen met zo veel verschillende nationaliteiten voor het voogdijschap interesse hadden. Er waren zelfs mensen bij die als minderjarige zelf asielzoeker geweest waren en die nog altijd zo dankbaar waren omdat men hen in die tijd een voogd had toegewezen, dat ze iets wilden teruggeven. Ik vond dat super.

Ikzelf heb het gevoel dat ik iets voor de samenleving moet doen, dat ik met dit werk op het goede spoor ben, en ik ben er als mens rijker door geworden. Ik heb nu meer oog voor andere culturen, ik probeer de anderen te begrijpen en niet alles alleen door mijn eigen brilletje te bezien. Wij kijken naar die mensen en we vragen ons af: wat doen die hier, wat hebben ze hier te zoeken? Maar als je echt naar hen luistert en je in hun plaats probeert te stellen, dan zie je en begrijp je andere dingen. Dat is iets wat ik altijd probeer te doen.

Veel Belgen hebben een erg eenzijdig beeld van vluchtelingen, alsof die groep alleen maar uit potentiële criminelen zou bestaan, en dat is jammer. Natuurlijk, criminelen heb je overal, in elke groep mensen, maar de meesten van de mensen die hier zonder begeleiding aankomen, en vooral de kinderen zou ik zeggen, die hebben er niet voor gekozen naar een ander land te vertrekken. Het is niet hun keuze. Maar ik kan me ook in de positie van de mensen hier in België verplaatsen. Dit land is zo klein. We kunnen ook niet iedereen opnemen. En er moet iets gebeuren, er moeten oplossingen voor gevonden worden, maar als we allemaal de problemen de rug toekeren, gebeurt er niets. Kinderen zonder hebben of houden, zonder diploma of opleiding, zouden in de marginaliteit terechtkomen. Dat kan ook niet de bedoeling zijn.

Voor mensen die hierheen komen, of het nu om kinderen gaat of om volwassenen, zijn de eerste twee jaar bijzonder hard. Mocht iemand vanuit België naar een ander land vertrekken, dan zou die persoon precies hetzelfde ondervinden. Je moet je aan de nieuwe omgeving aanpassen. Aanpassing komt erop neer dat je de wereld waarin je van kindsbeen opgegroeid bent, en waarin je vader en je moeder je wegwijs hebben gemaakt, niet langer als helemaal de jouwe herkent, en dat je de nieuwe wereld waarin je terechtgekomen bent nog niet kunt snappen. We moeten alles wat ons geleerd is en dat in ons hoofd zit wegdenken om opnieuw te beginnen. En dat is zeer moeilijk.

Het is geen kwestie van vergeten, je moet je identiteit bewaren, zeer zeker, en dat is juist het moeilijke ervan. Hoe kun je dat aanpakken, in een ander land waar de mensen je niet begrijpen? Je bent angstig, je wilt niet in de problemen komen. De nieuwe wereld waarin je leeft wil je leren kennen, maar in het begin lukt dat niet echt, je weet niet meteen hoe dat moet. Dus die eerste twee jaar is vaak een periode van aanpassingsfasen, zoals ik dat noem. En wanneer je nadien naar je land van herkomst terugkeert merk je dat je ook daar een vreemdeling bent geworden. Je bent anders gaan spreken en je denkt ook anders. Je bent nergens meer thuis. Je valt tussen twee stoelen in. Je hebt eerst twee jaar zo veel inspanning geleverd om je aan te passen, en dan kom je in een periode dat je niet weet waar je nu echt thuishoort.

Zoals gezegd spreek ik ook een beetje uit eigen ervaring. Ik ben zelf in Portugal geboren en veertien jaar geleden naar hier gekomen omdat ik met een Belgische man getrouwd ben. Het weer in dit land was natuurlijk een eerste aanpassing. In Portugal is het doorgaans iets warmer. Het weer hier in België was dus even wennen en verder vooral het feit dat mensen hier alles altijd plannen. Plannen, dat bestaat niet in onze cultuur, dus viel het me zeer zwaar. Ik wist niet hoe ik dat moest aanpakken, ik vroeg me af: moet ik nu van alles gaan opschrijven? Je moet ineens een agenda hebben en je denkt: wat is dat nu? Daar had ik vroeger nooit over hoeven nadenken. In warmere landen, dat zie je ook in Afrika, leef je meer buiten, en in een rustiger tempo. Je werkt ook wel, maar op andere wijzen, in een ander ritme, met andere stressniveaus. Planningen opstellen is niet echt nodig. We gaan langs bij vrienden op het ogenblik zelf, en we blijven voor het avondmaal zonder dat dit alles op voorhand gepland is. Hier moet alles vooraf geregeld worden, of het lukt niet. Dat heb ik intussen heel goed begrepen.

Als je in een ander deel van de wereld gaat wonen, dan maak je eigenlijk een rouwproces door. Je moet afscheid nemen van je vrienden, van je familie, allemaal dierbare mensen die je moet achterlaten, en dat is hard, zeer hard. Zelfs als je maar voor een paar maanden naar een ander land vertrekt, doet het je iets je vertrouwde omgeving en je dierbaren achter te laten. Hoe moet het dan niet zijn als je beseft dat je mogelijk voorgoed weggaat? En zeker voor die kinderen. Ikzelf weet dat ik altijd naar mijn land kan terugkeren, maar zij weten niet of die mogelijkheid bestaat, of het ooit nog zal gebeuren, en dat is natuurlijk stukken erger. Hun toekomst biedt weinig concreets. Toen ik hierheen kwam, wist ik dat ik altijd het vliegtuig zou kunnen nemen om terug te keren en mijn familie in Portugal te bezoeken. Portugal is ook niet zo ver hiervandaan, en ik ben ook zonder de problemen die veel van die kinderen hebben hierheen gekomen.

Ik kan me dus goed voorstellen hoe zwaar het voor die kinderen is. Ze komen hierheen. Ze weten vaak niet wat er met hun ouders gebeurd is. Ze kunnen hun verhaal niet plaatsen. Ze komen aan in een ander land, waar andere mensen wonen, mensen die hen misschien niet zullen begrijpen, terwijl het juist dat is wat ze nodig hebben: mensen die hen begrijpen en die hun ook liefde geven, want dat missen ze op dat ogenblik nog het meest. En ze moeten zo snel groeien. Ze mogen niet langer achterom kijken, naar het verleden. Ze moeten resoluut naar de toekomst kijken. Dat valt niet te onderschatten. Ook al doordat mensen van hier voortdurend naar dat verleden vragen en je daardoor dat verleden weer in trekken. Terwijl je zelf, als je uit je land vertrekt, een land dat je zo veel problemen heeft bezorgd, het verleden liefst wilt vergeten. En tegelijk is het normaal dat mensen van hier zulke vragen stellen, ook al heb je geen duidelijk zicht op wat er met je gebeurd is en wat je plaats in de wereld is. Het vergt een heel proces, waarin je je ook als nieuwkomer in de plaats van de ander moet leren stellen en zijn nieuwsgierigheid moet leren begrijpen, ook al kun je niet alle vragen goed beantwoorden.

Veel kinderen schamen zich om aan de buitenwereld te laten zien: kijk, dit is mijn leven tot nu toe. Wat heb ik uiteindelijk bereikt? Wat ze te vertellen hebben is tenslotte ook niet zo mooi, ook al zullen de meeste mensen van hier dat wel aannemen, en zullen ze het heel erg vinden en met die kinderen meeleven. Maar je staat daar dan als kind, met alleen maar je woorden. En met woorden keert je leven van vroeger niet terug. Dus zwijg je veel liever. Dat begrijp ik heel goed.

Het hele proces van het voogdijschap verloopt als volgt: de dienst voor de voogdij belt met de vraag of ik de mogelijkheid heb of bereid ben een kind als pupil onder mijn hoede te nemen. Als ik instemmend antwoord, ontvang ik vervolgens een brief die stelt dat ik als voogd voor dat kind erkend ben. Dat is het begin. Diezelfde week moet ik het kind gaan opzoeken, om het te leren kennen en mezelf als voogd en vertrouwenspersoon voor te stellen. Dan moet ik in naam van het kind contact opnemen met een advocaat, want daar heeft ieder kind recht op. Dat is bijvoorbeeld ook belangrijk voor de gesprekken met het kind, dat als minderjarige niet voor zichzelf kan spreken. Zo begint dan de procedure. Als het kind asiel aangevraagd heeft, dan bestaat die procedure uit twee gesprekken. Het eerste vindt plaats bij de Dienst Vreemdelingenzaken en is er vooral op gericht na te gaan waar het kind precies vandaan komt, of er bepaalde adressen zijn, wie de familie is, dat soort dingen. Ook het verhaal van het kind komt aan bod, en hoe het in België is terechtgekomen, maar daar wordt op dat ogenblik nog niet zo uitgebreid op ingegaan. Dan volgt een periode van wachten, waarin ik het kind begeleid en zijn vertrouwen probeer te krijgen. Ik ga regelmatig op bezoek en probeer ook leuke dingen met het kind te doen. Het kan een tijd duren voor het vertrouwen er is, want vaak moet ik ook geschikte tolken vinden om met het kind te kunnen praten, dus dat vergt wel enig geduld. Zelf moeten we ook het verhaal van het kind optekenen, en we moeten veel verslagen opmaken voor de voogdijdienst, om de drie maanden verwacht men een rapport. Voor de dienst is dat tegelijk een vorm van controle, zodat men zeker weet dat de voogd het kind gaat opzoeken. Er wordt van je verwacht dat je minstens twee-, drie-

maal per maand bij het kind op bezoek gaat. Meer mag natuurlijk ook; ikzelf ga heel vaak bij mijn pupillen op bezoek. Na een paar maanden arriveert dan de brief van het Commissariaat voor de Vluchtelingen waarin het kind wordt uitgenodigd voor het tweede gesprek, het belangrijkste gesprek. Daar wachten die kinderen ook echt op. 'Wanneer kunnen we naar het Commissariaat?' vragen ze me, want daar zal de beslissing vallen: kunnen ze in België blijven of niet? Als alles naar wens verloopt kunnen ze als vluchteling erkend worden.
Is het antwoord negatief, dan kunnen we een beroepsprocedure opstarten, opnieuw met de advocaat. Dan moeten we nog meer informatie zien te verkrijgen, meer details, indien mogelijk documenten uit het land van herkomst, via *Tracing*, de dienst voor opsporingen van het Rode Kruis, familieleden proberen terug te vinden, enzovoort. En intussen probeer je opvang te vinden, en te voorzien in alles wat het kind nodig heeft. Moet het kind naar school? Dan zoeken we een school. Wil het graag aan bepaalde buitenschoolse activiteiten deelnemen, bijvoorbeeld muziekles volgen of aan sport doen, dan gaan we de mogelijkheden bekijken, samen met de opvangcentra. Dat zijn allemaal zaken die een voogd moet regelen, tot de kinderen achttien zijn. En dan is er natuurlijk constant de humanitaire kant, je moet het kind ook met zorg en liefde omringen.

Een voogd is dus zeer, zeer belangrijk. We zijn deels psycholoog, deels ouder en voor een deel vreemdelingenbegeleider. Er wordt van je verwacht dat je met het kind een sterke band ontwikkelt, ook om de waarheid naar boven te halen, wat vaak zeer moeilijk is, maar ook zeer boeiend. Ik kan het iedereen aanraden.

Als ik voogd word van een kind dat hier pas is aangekomen, vraag ik nooit meteen naar wat het kind overkomen is. Ik maak wel veel tekeningen. De eerste keer dat ik het kind ontmoet, vertel ik zelf eerst mijn verhaal, maar ik doe dat met tekeningen. Ik zeg: 'Ik heb een huis, ik heb een hond, en een poes en een duif, en ook een schildpad. En ik heb een man en twee kindjes.' Ik begin gewoon alles te vertellen, terwijl ik teken. Daarmee geef ik die kinderen de tijd om losser te komen en om mij te leren kennen. Als je van iemand een glimlach wilt krijgen, dan moet je zelf eerst die glimlach geven. Anders lukt het niet, het is als met de liefde. Wie geen liefde wil geven zal haar ook niet krijgen. Ik geef die kinderen wat ik te geven heb, en ik doe dat zonder iets van hen terug te verwachten. Dan krijg je altijd zoveel meer. Dat is in veel zaken het geval.

Voor mij is het min of meer de essentie van het leven.

Als ik bij die kinderen meteen met mijn formulieren zou komen aandraven en hun onmiddellijk zou vragen: 'Waar kom je vandaan? Heb je broers of zussen, en hoeveel?' dan zou het erg moeilijk zijn. Uiteindelijk moeten die vragen aan bod komen, we dienen nu eenmaal ook een rapport op te maken en ervoor te zorgen dat de formulieren ingevuld raken, maar eerst en vooral is het belangrijk dat je het vertrouwen van het kind kunt winnen. Iedereen doet dat op zijn eigen manier, en ik wil dat die kinderen me eerst als mens kunnen zien, als iemand die er is om hen te helpen.

Dat kan lang duren, en het lukt niet altijd. Sommige voogden begeleiden kinderen tot ze elders heen gaan zonder dat ze ooit hun vertrouwen hebben gekregen. Het verschilt van kind tot kind, van de problemen die ze hebben en van waar ze vandaan komen. Als ik te horen krijg dat ik een kind moet begeleiden dat bijvoorbeeld uit Afghanistan komt, dan ga ik eerst op het internet allerlei informatie over het land opzoeken. Als ik weet dat het kind uit Kaboel komt, probeer ik ook zo veel mogelijk over die stad te weten te komen. Niet alle voogden, zeker de professionele, hebben de tijd om zich zo grondig voor te bereiden. Daarom neem ik altijd maar vier kinderen tegelijk onder mijn hoede. Zodra voor een van die vier de voogdij afloopt, is er weer plaats voor een nieuw kind. Ik lever liever kwaliteit af in plaats van kwantiteit. Anders zou het een ramp zijn, voor mij, voor de kinderen, voor mijn eigen gezin, voor alles.

Al die kinderen hebben hun verhaal en meestal is dat verhaal verschrikkelijk. Ze hebben geen vader of moeder meer; die zijn vermoord of vermist en ze weten niks over hun lot, waar ze zijn of wat er van hen geworden is. Het is telkens weer hard die verhalen te moeten beluisteren, en er zijn er die me altijd zullen bijblijven. Mijn eerste kind was Saïd, een jongen uit Afghanistan. Zijn moeder was lerares. Zoals we allemaal weten mogen meisjes in Afghanistan niet naar school, dus lerares zijn mag al helemaal niet. Op een dag ging Saïds moeder naar het werk, naar school. Saïd ging met haar mee. Ze zijn nooit aangekomen op school. Onderweg schoten de taliban Saïds moeder dood, voor de ogen van haar zoon. Ze waren zo aan elkaar gehecht, Saïd en zijn mama. Het was verschrikkelijk.

Saïd heeft nog een zus, een oudere zus, maar doordat vrouwen het zo moeilijk hebben in Afghanistan, doordat het bijna onmogelijk is voor vrouwen zich alleen in de buitenwereld te begeven, heeft Saïds vader uiteindelijk een smokkelaar betaald om zijn zoon naar het buitenland te brengen. Saïd heeft een jaar lang gereisd. Hij heeft veel meegemaakt. In Griekenland heeft de politie hem mishandeld. Hij is bijna op volle zee verdronken, want hij kon niet zo goed zwemmen. Tijdens controles aan de grens trok hij in de laadruimte van de vrachtwagen, waar hij samen met zijn vrienden verscholen zat, een plastic zak over zijn hoofd om te vermijden dat de politiehonden zijn adem zouden opsnuiven. Als die controles lang duren vallen er soms doden. Zo heeft Saïd een paar van zijn vrienden zien sterven. Hij had het bijzonder moeilijk met wat hij allemaal heeft meegemaakt. De ontmoeting met mij heeft daar verandering in gebracht, en ik denk dat hij nu beetje bij beetje alles kan loslaten.

Ik heb Saïd voor het eerst gezien met een tolk erbij,
want ik spreek geen Pashtu.

Hij begon te vertellen.

Ik was aangeslagen door zijn verhaal,
maar dat heb ik niet getoond.

Dat mag niet.

Je moet neutraal blijven,
dus hield ik me sterk.

Maar op het einde van het gesprek
heb ik hem toch gevraagd:

'Mag ik jou een knuffel geven?'

Zijn hoofd zakte voor mijn ogen
omlaag, tot bijna op de tafel,
en hij zei stilletjes:

'Neen... Neen...'

En ik zei: 'Geen probleem.
Jij moet weten wat je wilt,
het is geen probleem.'

Hij liep naar buiten. Samadi kwam naar binnen, een van de twee andere kinderen die ik diezelfde dag leerde kennen. Samadi komt ook uit Afghanistan. Hij heeft een jaar in Iran verbleven, dat is ook erg, maar zijn geschiedenis is niet zo gruwelijk als Saïds verhaal. Samadi's ouders leven nog, hij heeft nog altijd contact met zijn familie. Op het einde van het gesprek vroeg ik ook aan Samadi of ik hem een knuffel mocht geven. Dat mocht.

Samadi ging weer naar buiten.
Ik zat intussen formulieren in te vullen.
Saïd tikte aan het raam:

'Mag ik binnenkomen?'
'Natuurlijk,' zei ik.

Hij durfde me niet aan te kijken,
hij vroeg alleen iets aan de tolk,
en die begon te glimlachen:

‘Hij wil toch graag een knuffel hebben.’

Ik ben opgestaan
en ik heb hem geknuffeld.

Hij was droef en blij tegelijk.

Ik zei hem: ‘Denk je in dat ik
in die paar minuutjes dat we hier zijn

een heel klein beetje jouw mama kan zijn.
Ik ben je mama niet, dat weet ik, maar nu

heel even wel.’

Hij moest huilen.
Ik had het niet verwacht.

Ik schrok.

Saïd nam afscheid,
ik ben snel naar mijn auto gelopen
en de hele weg naar huis heb ik gehuild.

Ik kon niet stoppen met huilen.

De mensen op de weg staarden me aan.
Maar ik kon het verhaal van Saïd niet verdragen.

Dat was mijn eerste dag als voogd.

Ik probeer neutraal te zijn tijdens het gesprek, en ik ben het ook wel. Maar daarna praat ik ofwel met mijn man, ofwel ik ga huilen. Dan zeg ik: 'Wat voor wereld is dit?' En je wilt nog meer mensen helpen. Op den duur word je wel sterker. Ik huil niet meer zo snel. Na een tijd voel je beter aan hoe je met die kinderen moet omgaan. Het doet nog steeds pijn als ik hun verhalen hoor, maar ik ga nu meer op zoek naar de positieve kanten. Ik richt me eerst op hun toekomstkansen, zodat ze het verleden beetje bij beetje kunnen verlaten, en tegelijk spreek ik met hen over hun situatie. Ik ga geregeld bij hen op bezoek en dan vraag ik: 'Hoe gaat het met jou?' Na een tijd komt hun verhaal dan wel naar boven.

Wanneer er aan de voogdij een einde komt, probeer ik mijn pupillen te volgen, en ook zij blijven het contact onderhouden. Saïd, bijvoorbeeld, is nu achttien en dus meerderjarig, maar hij belt me nog geregeld. Hij woont nog altijd in België, hij is ook erkend vluchteling, wat vandaag niet zo voor de hand ligt voor mensen uit Afghanistan. Misschien kwam Saïd uit een provincie waar de toestand nog altijd dramatisch en gevaarlijk is, waardoor hij in België kan blijven. Het is ook niet de bedoeling dat je als voogd per se wilt dat ieder kind hier voorgoed kan wonen. Nee, we werken echt in hun belang, wat zij willen heeft prioriteit.

En wat willen kinderen, denk je?
Ze willen terugkeren naar hun ouders.

Daarom laat ik voor elk kind een oproep verspreiden via *Tracing*, zodat die op zoek kunnen gaan naar familieleden in het land van herkomst. Natuurlijk hebben we niet altijd succes. Tot nu toe hebben we bijvoorbeeld Saïds vader niet teruggevonden, maar we blijven het proberen, tot we iets vernemen. Hoe dan ook is het de bedoeling dat de kinderen weer in contact komen met familie en dat ze, wie weet, als de toestand in hun land verbetert, kunnen terugkeren. Ze voelen zich vaak alleen, hier in België. Soms bellen ze me en dan zeggen ze: 'Ik heb hier niemand.' Ze missen liefde, dat is het allerbelangrijkste. Als ik als voogd op hen zou toestappen met alleen maar praktische raad, dan zou het niet zo goed werken. Ze hebben liefde nodig. Eerst liefde, en dan de rest.

Zelf heb ik nog geen kinderen onder mijn hoede gehad die naar hun land konden terugkeren, maar het gebeurt. Lukt het niet hen met hun familie te herenigen dan kunnen die mensen hier blijven als erkende vluchtelingen. Of ze krijgen een vorm van bescherming waardoor ze in ons land kunnen wonen tot ze volwassen zijn, en dan komen natuurlijk de echte problemen. Tot je achttiende heb je altijd een voogd en geniet je bescherming. Zodra je meerderjarig bent moet je alles zelf uitzoeken en dat is niet altijd eenvoudig. De kinderen weten dat. Onlangs had ik een afspraak met Samadi. We hadden afgesproken elkaar in het Noordstation in Brussel te treffen. Hij was er twee uur te vroeg. Hij zei me:

'Goed, ik was blijkbaar te vroeg,
dus ben ik even door het station
gaan wandelen.

Ik heb zo veel mensen gezien, mensen
die op de grond slapen,

mensen zonder huis.

Ik ben zo bang achttien te worden.
Als ik niets heb, wat ga ik dan doen?'

Hij is nu al in paniek.
Hij is zeventien.

Ik heb hem gezegd: 'Nee,
dat zal niet gebeuren,

met jou komt het goed.'

Hij is een geweldig kind. Hij leert goed op school. Hij wil werken. Hij spreekt goed Nederlands. Ik heb kinderen die nog jonger zijn dan hij, kinderen van veertien. Dat is heel erg jong. Een van hen, Lamin, een jongen uit Gambia, heeft nu zijn been gebroken. Hij wilde voetballen, maar dat is niet zo goed afgelopen en hij zit nu al een maand of twee met dat gebroken been. Hij voelt zich opgesloten, want hij zit natuurlijk vast aan die krukken. Pas nu begint hij langzamerhand naar school te gaan. Ik ben bij hem op bezoek geweest. Hij had een liedje geschreven, in het Engels, over wat hij heeft meegemaakt. Ik vond het prachtig.

Het begint met zijn vader,
die aan Lamin vertelt: 'Zorg ervoor
dat je mensen geen problemen geeft.
Zorg voor jezelf.'

Lamin heeft zijn vader verloren.
'Ik weet dat het normaal is,'
schrijft hij in dat liedje,

'maar ik ben er te jong voor.'

Zijn vader is vermoord.

Hij heeft het land moeten verlaten.
Zijn moeder is achtergebleven,
samen met zijn zusje. Al meer

dan zes maanden heeft Lamin
niks van ze gehoord.

Hij is veertien.
Dat is te jong.

Hij zegt: 'Mijn vader is dood,
en ik ben ook mijn moeder kwijt.

Ik denk dat ik gek word.

Somebody help me.'

Als die kinderen hierheen komen, moeten ze dus een paar maal hun hele verhaal doen, en ze moeten vooral bewijzen dat het klopt, zodat ze als vluchteling erkend kunnen worden. Er zijn kinderen die hier arriveren met al een heel verhaal in hun hoofd, want ze krijgen in hun eigen land te horen dat ze dit of dat moeten vertellen. Het Commissariaat voor de Vluchtelingen weet dat natuurlijk ook. Als je van het ene kind na het andere steeds weer hetzelfde verhaal te horen krijgt, heb je op den duur wel door dat er iets niet klopt. Ik zeg hun altijd:

'Vertel de waarheid,
hoe hard ze ook is.

Zelfs als de waarheid
tegen jou is.

Je moet alles vertellen.

Je zult sneller erkend worden.
Als je liegt komt men het toch te weten.'

Dat is uiteindelijk ook onze taak als voogd, alleen op die manier kunnen we samen met de advocaat een goed dossier opmaken. Dat is niet altijd gemakkelijk, want er zijn ook culturen waarin die kinderen een eed zweren dat ze hun verhaal zullen vertellen op de manier die hun wordt opgedragen, met de dreiging dat ze anders nooit meer terug kunnen keren. Dat speelt ook een rol. Het is zeer moeilijk. Maar ook zeer boeiend. Soms helpt het een kind wanneer het zijn verhaal mag doen, maar anderen worden kwaad. Sommigen zijn er voor de rest van hun dagen door getekend. Ze krijgen het psychisch moeilijk. Ze willen niet praten, ze willen het verleden liefst zo snel mogelijk vergeten, maar ze moeten er constant over praten. Ik zie het bij Lamin. Altijd weer zijn verhaal moeten doen, het verhaal dat hij niet aankan, dat is erg voor hem.

Ik probeer dat zo zacht mogelijk aan te pakken. Ik krijg van alle betrokken instanties hoe dan ook de dossiers, waarin het verhaal van het kind al min of meer genoteerd staat. Dat lees ik dan op voorhand. Daarna luister ik naar het kind, en alleen als ik iets hoor wat verschilt van wat er in de dossiers staat, zal ik een opmerking maken: 'Je zegt dat je twee broers hebt, maar hier heb je verteld dat er maar één is.' Dat probeer ik met een kwinkslag te doen, anders is het voor hen te hard. En eigenlijk voel ik vaak dat ze bepaalde zaken voor zich houden, dat ze niet de volle waarheid vertellen. Of ik merk later, bijvoorbeeld bij Saïd, dat hij nu veel meer begint te vertellen. Hij voelt zich veilig nu hij erkend vluchteling is. Hij weet dat hij een toekomst heeft, dat hij hier kan blijven. Als ik iets hoor wat nieuw voor me is, zeg ik met een lachje: 'Daar heb je me toen niets over verteld. Hoe komt dat?' En dan antwoordt hij:

'Ik was bang
dat ik toch weg zou moeten.'

En hij zei ook: ‘Nu ik erkend ben,
kan ik toch reizen, niet?’

‘Ja,’ zei ik. ‘Dat kan nu.’

‘Het is raar, nu ik erkend ben.
De mensen hier weten niet hoe lang

het heeft geduurd voor ik in dit land aankwam.

Jullie nemen het vliegtuig.
Een paar uur later komen jullie aan.

Wij zijn zo lang onderweg geweest,
een jaar lang onderweg,
we hebben op straat geslapen,
de politie sloeg ons.’

Voor die kinderen gaat hier een hele wereld open. Samadi en Lamin kunnen bijvoorbeeld niet met de computer werken, maar ze zijn het nu aan het leren. Saïd kan wel al goed met computers omgaan, maar ook hij heeft het hier geleerd. Ze moeten zoveel leren. De eerste keer dat ik met hen naar een supermarkt ging, dat was de beste dag van hun leven, denk ik. Zo groot! En zo veel dingen die je kunt kopen! Ze waren echt onder de indruk. Ze keken zich de ogen uit het hoofd.

Nu koken ze graag voor me als ik op bezoek kom. Als ik laat weten dat ik ze nog eens wil zien, zeggen ze: 'Ik ga koken!' Dat doen ze ook echt, lekker en vooral veel. Ik krijg altijd een stevig gevuld bord voor me en ik moet alles opeten. Ze eten ook met de hand. Voor mij leggen ze altijd bestek klaar, maar ik zeg: 'Ik wil proberen te eten zoals jullie eten. Als jullie bij mij komen, eten jullie zoals wij eten, en als ik bij jullie ben, eet ik zoals jullie het doen.' Ik wil dat ook echt, om hun duidelijk te maken dat ik me aan hen wil aanpassen, zoals zij zich aan mij aanpassen, want dat is ook de manier waarop ze hier in België moeten leven, vind ik.

Veel van de kinderen die hierheen komen zijn vaak ook zeer gelovig. Ik zal daar nooit kritiek op geven of op hen neerkijken. Maar als ze me vragen of ik godsdienstig ben, zal ik ze ook een eerlijk antwoord geven: dat ikzelf niet in het bestaan van een God geloof, maar dat ik in de kracht van de mens geloof, en dat ik tegelijk hun religie respecteer. Ik zeg hun: 'Ik wil alle culturen en alle religies proberen te begrijpen, maar dan zou ik graag hebben dat jullie ook mij proberen te begrijpen, en ik kies ervoor geen godsdienst te hebben.' Want het gaat bij samenleven in de eerste plaats om wederzijds respect.

Ik kan die kinderen ook wel begrijpen. Ze komen hierheen, ze zijn hun ouders kwijt. Wat hebben ze nog, behalve hun religie, die hun een kader, misschien zelfs een vader biedt? En ik zie het gaandeweg ook wel veranderen, naarmate ze langer hier zijn en toch een beetje hun weg beginnen te vinden in die voor hen nieuwe leefwereld. Ik wil ook niet dat ze alles wat ze in zich meedragen gewoon gaan wegvegen. Je kunt identiteit niet zomaar negeren. Dat merk ik ook bij mezelf. Ik noem me bijvoorbeeld nooit een Belg, terwijl ik hier al bijna vijftien jaar woon. Ik heb ook geen Belgische identiteitskaart, ik ben nog altijd Portugees. Veel mensen vinden dat vreemd. 'Waarom word je geen Belg?' vragen ze me. 'Er zitten zoveel voordelen aan vast.' Maar waarom zou ik dat doen, ik hoef geen voordelen. Ik woon hier, ik werk hier, ik geef hier geld uit en ik betaal hier belastingen. Ik heb een goed leven en dat volstaat. Er zijn andere mensen die de voordelen meer nodig hebben dan ik, laten zij ervan genieten. Ik zou ook het gevoel hebben dat ik mijn Portugees-zijn verlies. Misschien zoals die kinderen, als ze hun religie volledig zouden loslaten, zichzelf zouden verliezen. Ik wil dat iets nog altijd 'van mij' is, en misschien willen zij dat ook.

Als voogden leven wij met onze kinderen mee. Je wilt zien dat ze goed terechtkomen. Er is te weinig opvang, en er zijn niet altijd genoeg middelen om hen te begeleiden of psychologisch bij te staan. Ze wonen in opvangcentra, van het Rode Kruis of de diensten van de overheid, maar ze moeten erg vaak verhuizen en dat doet hun niet altijd goed. Zodra ze ergens wat ingeburgerd zijn, moeten ze weer weg. In de opvangcentra komen ze ook terecht bij mensen van heel veel verschillende nationaliteiten, uit heel veel verschillende culturen, met verschillende gewoonten. Samadi is bijvoorbeeld een heel ordelijke jongen, maar in het centrum waar hij verbleef moest hij een kamer met nog drie anderen delen. Er is geen plaats genoeg om iedereen een eigen kamer te gunnen en Samadi's kamergenoten namen het niet zo nauw met netheid en dergelijke, en dat gaf soms problemen. Het tekort aan privacy is dus zeker een probleem, dat natuurlijk ook tussen die mensen onderling voor spanningen zorgt. Zeker als je aan het puberen bent is privacy zoiets noodzakelijks. Nee, als je erover nadenkt hebben ze het zeker niet gemakkelijk. En toch moet je proberen ze ruimte te geven, leven te geven, en ze in hun aanpassing begeleiden door ze te laten studeren, werk te laten zoeken, zodat ze hun toekomst voorbereiden, hetzij hier of in een ander land, of in het land waar ze vandaan komen. Ze komen met een gebroken verleden hierheen, dus is het zo belangrijk dat we ze niet ook nog eens aan een gebroken toekomst overleveren.

Mocht er een systeem bestaan in Europa waarbij elk land een bepaald aantal kinderen opneemt, dan zou dat misschien veel beter zijn. Dan zouden we kunnen zeggen: we bieden die kinderen vorming, opleidingen, degelijke en menselijke begeleiding, zodat ze later met die vorming aan de slag kunnen, indien mogelijk in hun land van herkomst. Maar het zal altijd moeilijk zijn, want sommigen van die kinderen hebben familieleden die ook hierheen zouden willen komen, dus vroeg of laat krijg je toch met hun hele situatie te maken. Je kunt dat niet los zien van elkaar.

Zelf ben ik constant naar opvangplaatsen aan het zoeken voor de kinderen die ik onder mijn hoede heb. Omdat ze minderjarig zijn krijg ik wel bijstand van het Comité voor Bijzondere Jeugdzorg, maar het blijft niet vanzelfsprekend. En toch zijn die kinderen zo dankbaar, je kunt het haast niet geloven. Ze stromen over van erkentelijkheid voor het minste wat je voor hen kunt doen. Dat heeft een enorme invloed op mij, ik weet de kleine dingen in het leven te waarderen. We hebben te veel. Te veel van alles. We vergeten de kleine dingen. De wereld is niet in evenwicht. Heel veel van de problemen in de wereld bestaan omdat wij zo gulzig zijn, en we hebben de neiging alleen naar onze eigen navel te staren en te redeneren: wat ik heb, heb ik allemaal zelf verdiend en ik heb er recht op. Wat kunnen mij de anderen schelen? Maar ik kan daar niet zomaar werkeloos op staan toekijken. Ik kan mijn ogen niet sluiten voor de ellende bij de buren. Nee, dat kan ik niet.

Nawoord

Niet-begeleide buitenlandse minderjarigen zijn kinderen en jongeren die vaak in hun eentje in België terechtkomen. In hun land van herkomst hebben ze alles achtergelaten. Ze komen hierheen met de hulp van familie, met mensensmokkelaars, via mensenhandel, enzovoort. Vaak hebben deze jongeren een lange tocht achter de rug. Ze komen aan in een land dat ze niet kennen, waar ze niet altijd begrepen worden en waar ze vaak ook niet echt gewenst zijn. Verder is ook hun rechtspositie onduidelijk en ze kunnen evenmin terugvallen op een sociaal netwerk. Ze beheersen onze taal niet, kennen in onze maatschappij de weg niet en kijken op tegen een berg van administratieve taken. Hun toekomst is een groot vraagteken.

Bij de meesten van deze kinderen en jongeren leiden al die onzekerheden tot heel wat stress. Het hoeft geen betoog dat zij behoefte hebben aan gespecialiseerde begeleiding. Met hen een vertrouwensrelatie opbouwen is niet eenvoudig. Vaak zijn ze te gekwetst om anderen te kunnen vertrouwen. Soms willen ze hun verhaal vertellen, maar kunnen of mogen ze dat niet, omdat het te gevaarlijk is, omdat het te veel pijn oproept, omdat het... Soms zijn die kinderen en jongeren ook bang voor hun eigen gevoelens.

Voor niet-begeleide buitenlandse minderjarigen in een goede opvang en begeleiding voorzien is geen makkelijke opdracht. Het vraagt van deze jongeren heel wat energie, moed en doorzettingsvermogen om hun vertrouwen te geven en zich ergens thuis te gaan voelen. Slechts een kleine minderheid van hen komt terecht in geëngageerde pleeggezinnen, anderen worden opgevangen in al dan niet speciaal hiervoor toegeruste centra, nog anderen blijven rondzwerven.

Opvang, de dienst voor pleegzorg, en Minor-Ndako, een onthaalcentrum voor niet-begeleide buitenlandse minderjarigen, hebben de handen in elkaar geslagen. Door hun expertise samen te brengen willen ze de kwaliteit van de hulpverlening voor deze kinderen/jongeren garanderen, evenals de ondersteuning van de gezinnen die hun een thuis geven.

Om die reden wilden we ook een boek maken, een boek met een blik op het leven, althans een stukje ervan, van deze minderjarigen. Een boek dat gezinnen helpt zicht te krijgen op de inzet die gevraagd wordt van een opvanggezin. Een boek dat zichtbaar moet maken waar deze jongeren behoefte aan hebben, en wat dus van een opvanggezin wordt verwacht.

Toen we Lieve Blancquaert en Erwin Mortier benaderden om dit boekproject mee uit te voeren, waren ze onmiddellijk enthousiast. *Niemand weet dat ik een mens ben* is uiteindelijk veel meer geworden dan een louter informatief boek. Het brengt de verhalen van enkele niet-begeleide buitenlandse minderjarigen in beeld. Het toont de veerkracht, het doorzettingsvermogen en de motivatie die deze jonge mensen drijft om door te gaan, niet op te geven. Lieve en Erwin slaagden erin hun een gezicht te geven... en een klinkende stem. Ze deden dit met brio. We willen hen hiervoor danken.

Dank ook aan onze medewerkers Karl Brabants en Paule Nenquin, die mede hun schouders onder dit project hebben gezet; aan de Instelling voor Morele Dienstverlening Limburg, voor haar financiële ondersteuning; en vooral aan de jongeren zelf, voor de moed die ze betoonden door hun verhaal te vertellen.

Frank Van Holen, *opvang*
Margot Cloet, *Minor-Ndako*

Nuttige informatie en adressen

IN BELGIË

Opvang

Dienst voor pleegzorg
Blaisantvest 105 - 9000 Gent
www.opvang.be

Minor-Ndako

Opvang- en begeleidingscentrum voor buitenlandse niet-begeleide minderjarigen en minderjarige slachtoffers van mensenhandel
Vogelenzangstraat 76 - 1070 Anderlecht
www.minor-ndako.be

Federale Overheidsdienst Justitie

Dienst Voogdij

Waterloolaan 115

1000 Brussel

voogdij@just.fgov.be

Gams

(Groupe pour l'abolition des mutilations sexuelles)

Belgisch hoofdkantoor: Dwarsstraat 125,

1210 Sint-Joost-ten-Node.

www.gams.be

Verdere onderzoeksprojecten en publicaties omtrent genitale verminking en gendergerelateerd geweld zijn terug te vinden op de site van het International Centre for Reproductive Health

www.icrh.org

IN NEDERLAND

Stichting Nidos
Jeugdbescherming voor vluchtelingen
Maliebaan 99
3581 CH Utrecht
www.nidos.nl

Stichting Pharos
Kenniscentrum vluchtelingen, migranten en gezondheidszorg
Postbus 13318
3507 LH Utrecht
www.pharos.nl